国家出版基金项目
NATIONAL PUBLICATION FOUNDATION

《三联经典文库》

第二辑

2012 年国家出版基金项目

《三联经典文库》编辑委员会名单

三联经典文库
164

中国社会经济史纲

王渔邨　著

生活·讀書·新知 三联书店

图书在版编目(CIP)数据

中国社会经济史纲 / 王渔邨著. -- 北京 : 生活·读书·新知三联书店, 2014.1
（三联经典文库第二辑）
ISBN 978-7-108-04676-5

Ⅰ. ①中… Ⅱ. ①王… Ⅲ. ①中国经济史 Ⅳ. ①F129

中国版本图书馆CIP数据核字(2013)第252959号

责任编辑　邵慧敏
封扉设计　蔡立国
责任印制　郝德华
出版发行　生活·讀書·新知 三联书店
（北京市东城区美术馆东街22号）
邮　　编　100010
经　　销　新华书店
印　　刷　北京鹏润伟业印刷有限公司
版　　次　2014年1月北京第1版　2014年1月北京第1次印刷
开　　本　787毫米×1092毫米　1/32　印张　14.75
字　　数　209千字
定　　价　54.00元

《三联经典文库》出版缘起

适逢生活·读书·新知三联书店八十华诞，为弘扬传统，接续文脉，回报读者，服务社会，我们决定策划出版《三联经典文库》。

1932年7月，生活书店在上海创办，此后，读书出版社和新知书店相继成立。本文库第一辑、第二辑所选图书，来自于这三家出版单位及其分支机构，以及1948年生活·读书·新知三联书店成立后的出版物，始于1932年，截至1951年，两辑各一百种。此为第二辑，涉及政治、经济、社会、军事、思想文化诸领域，涵盖专著、文集、散文、小说、诗歌、传记、报道等体裁，既有直面现实、追求真理、讴歌真善美、抨击假恶丑的原创作品，又有引介世界各国先进文化、传播新知、开启民智的迻译之作，真实记录了那一代知识分子的思考与探索、理想与愿景和对中华民族文化传承与创新所做出的努力与贡献。

本文库所辑入各书，多为名家名作，在版本方面，以初版一印本或经著译编者审定、修订、增订过的版本为首选，因此本文库又具有较为珍贵的版本价值和收藏价值。

本文库还将编选续辑，使之成为恢弘文化工程。诚挚希望读者给予批评和指正，帮助我们完善编选工作，再现三联经典作品之风采。殊为遗憾的是，由于年代久远，一些原著译编者及其后人未能取得联系并奉付稿酬，诚盼版权所有者与我们联系。祈愿三联前辈所创造的精神财富能薪火相传，为中华文化的伟大复兴增光添彩。

《三联经典文库》编辑委员会

2013 年 8 月

凡　　例

一、本文库为重排本，由繁体字竖排版改为简体字横排版。

一、以忠实于原作、整旧如旧为编辑原则，对当时使用的专有名词、外文译名，以及民国时期的语言和特色予以保留。

一、原书注释如旧，编者所出的注释，均以“编者注”标明，以示与原书注释的区别。

一、对原书残缺或字迹漫漶之处，以□示代。

一、对繁简文本转换时的“如右”、“见左”一类，对应改为“如上（前）”、“见下（后）”。

一、对原书中各种错讹脱衍之处，直接订正，不再以其他符号标示。

一、对数字、标点符号的用法，在不损害原文语义的情况下，做必要的规范。

一、本文库各书均前插原书书影、原书版权页和文库版“本书出版说明”。

一、本书出版说明的撰写，以客观中立为原则，扼要介绍本书的内容、版本流转、著译编者的情况。

本书出版说明

本书是一部完整而系统研究中国社会经济史的专著。全书共分七编。第一编讨论社会经济变动的一般法则、历史阶段、中国社会经济史研究方法论，进而指出中国社会经济发展之途径。从第二编到第七编主要根据日本学者森谷克己所著的《支那社会经济史》编译而成；按照原始时代、初期封建社会成立时代、官僚主义封建制度的成立时代、中古分立的封建局面出现、官僚主义封建制度的发展时代、官僚主义封建制的完成及崩溃时代几个阶段，逐一阐述各阶段中国社会经济的发展状况。作者在本书中对当时关于中国社会史论争中涉及的井田制度、奴隶制度、亚细亚生产方法、商业资本形态、专制主义等问题，都做出确切解答。

本书由生活书店于 1936 年 7 月上海初版，此次出版即以此版本为底本。

王亚南（1901-1969），字渔邨，湖北黄冈人。早年父母早逝，在兄长支持下读完小学，毕业后考入中学，后考入武昌中华大学教育系。投身于国共第一次合作，失败后结识郭大力，1928年赴日留学，“九·一八事变”后回国，从事写作、翻译，因参加“福建事变”而亡命欧洲，1935年回国后在上海与郭大力共同翻译《资本论》。抗战期间，曾接受英国著名学者李约瑟访问，讨论中国封建官僚政治问题。1949年后，历任厦门大学校长、中国科学院哲学社会科学部委员、福建省政协副主席等职。以全译《资本论》（与郭大力合译）著称于世。著译极丰，约达四十余部；论文三百四十余篇。著作结集为《王亚南文集》。

生活·读书·新知三联书店

2013年8月

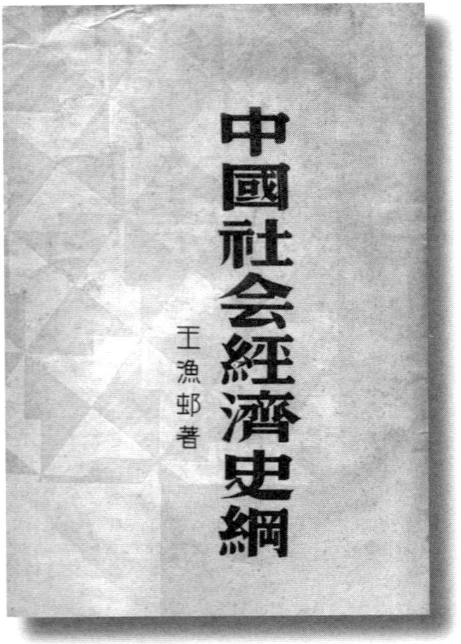

生活书店 1936 年 7 月初版书影

中國社會經濟史綱

每冊實價國幣壹圓
外埠酌加寄費

著者 王漁邨
發行者 生活書店 上海福州路第三八四號
印刷者 生活印刷所

中華民國二十五年七月初版

原书版权页

目次

第二编　原始时代

第四编　官僚主义封建制度的成立时代

编者例言

（一）中国至今还不曾出现一部比较完整的有系统的《中国社会经济史》。这部书也许算是一个创意的尝试。西哲谓："始生之物，其形必丑。"本书当然不免有许多难于尽善尽美的地方。但通体看去，所有今日中国社会史论争上的诸般问题，如井田制度问题，奴隶制度问题，亚细亚生产方法问题，商业资本形态问题，专制主义问题等等，大体都在本书中有了确定的解答。

（二）本书自第二编以下，大体是根据日本章华社出版的森谷克己氏所著《支那社会经济史》编译而成。而编者附加的意见，则详见第一编中，故这里不欲多所赘述。

（三）就性质上讲，本书当为关于中国社会史经济史乃至政治史的一般研究的读物，但编者在编组的程序和次第上，同时还很注意其用作高中大学教本的用途。

（四）本书得与读者诸君见面，第一当感谢森谷克己先生，而挚友钱亦石先生的指示与鼓励，亦极心感，但书中有遗漏错误的地方，则不敢连累两先生代我负责。

一九三五年十一月于
日本东京野马轩

第一编

绪论

第一章　一般社会经济发展阶段论

第一节　序言

中国早被视为是一块“科学的新国土”[1]。

中国一般的社会经济状况，在过去固然极度耐人摸索，即摆在我们目前者，亦还是叫人弄不清楚。一九二一年，李炳华（Ping-Hau Lee）女士曾用英文撰刊了一部中国经济史（*The Economic History of China with Special Reference to Agriculture*），在同书的序文中，他力言中国现在经济状态之所以被西欧经济学者看为一个“谜”，且看为经济法则与经济发达研究上的显著例外，就因为关于中国经济发达的一切事实，欧美科学过于无知[2]。

[1] 见 Wittfogel 著，横光次郎编译:《支那经济史研究》，第三页。

[2] 同上。

这位女士的议论，我是相当承认其正确的。但他忽略了一件事实，就是：把中国现在社会经济状态看为“谜”看为经济发达研究上之“例外”的，并不限于西欧学者，即我们生于此时此地的中国人，又何尝有几个人不是把中国当前的社会经济事象，当作“谜”来猜度呢?以中国人而不理解中国社会经济的实相，那在许多原因之中，至少有一个重要原因，是正如李女士所说的，对于过去中国社会经济发达的事实，过于无知。

其实社会意识过程，是以社会生活过程或生产过程为前提。我们所有的意识，都是由现实生活的物质基础所规定，且随生产力的增大与生产样式的变化而发达。中国过去言讳利，或反复昌言“形上之道”的儒家思想，要不外数千年封建社会之物质基础的反映。在此重精神轻物质的空气中，对于社会经济的历史，不但无人过问，且实在也无从过问，因为我们祖先的意识形态，被他们当时社会的物质环境所限定了。

五口通商而后，中国传统旧思想的堡垒，无疑是受了西人致富政策与物质文明所摧毁，但要那种思想根本变革，即要使一般人对于过去乃至现在中国社会经济状态，能有正当的认识，究还有待于我们当前社会之物质环境的改造。

不过，依着当前世界文化交通工具的异常发达，和环绕着我们的世界其他国家之社会经济事象的急遽改变，致使我们在意识过程的默化潜移的转变上，得到了不少的便利。所以中国当前社会尽管还残留着相当浓厚封建主义的实质，但近几年来关于中国社会经济史的研究工作，却还能显露几分进步的有希望的曙光。

然而从大体上说来，中国社会经济史的研究，究还是一个新辟的园地。一切关于这方面的学问努力，一方面固然要注意我们既有的史料的搜寻与整理，同时尤其要知道利用各国先进的社会经济史学者，已经在这门学问上所发现的诸般搜集史料制驭史料的方法，换言之，就是我们必得了解关于一般社会经济变动的演化法则。

第二节　社会经济变动法则

一切现实的社会，都是不能与它本身所由建立的经济基础分别考察的。社会必得以经济为其存立基础的事实，我们由社会本身赖以构成的现实前提即可征知。

据社会科学者告诉我们，[1]社会构成的现实前提，计有以次三项：

（一）人类；

（二）人类的行为；

（三）物质的生活条件。

这里所谓人类，不是从幻想的孤立的固定的方面去解释的，而是从社会意义上去解释的，所以他的特征有三：（一）是现实的活动的，即他要在现实生活过程上取得生存，即非有所活动不可；（二）是依着他的活动与自然发生联系的，即他一面施作用于自然，同时受自然的影响；（三）是依着他的活动，与其他人类发生联系的，即当他活动，当他施作用于自然时，他不能不与其他人类通力合作。

至表现于上述活动上的人类行为，在实际上虽有许多类别，但其中最原始的最根本的最重要的，却是生产。因为维持人类这种“活动体”的现实生活条件中，包含着饮食，衣服，居住以及其他事项。最初的历史行为，

[1] 注见张栗原编译：《社会科学理论之体系》，第二一三页以下。

即在为着满足这些欲望的手段的生产。

在此生产过程上，自然要关联到社会构成的第三项前提，即物质的生活条件。这种物质的生产条件，大体包含有既存条件与人类的生产物两端。前者所指，就是广义的自然条件，包括有人口人种等人类的自然，与外界的自然（或即狭义的自然条件）；后者所指为生产手段的范围，劳力，劳动者熟练的手段程度，科学上及科学技术上的实用性的发展阶段，生产过程之社会的组织等等。

由是可知，现实社会的基础，即不外经济过程或物质的生产过程。因为“当生产的时候，人类不但施工于自然上面，且系彼此通力合作。他们用一种特定的方法，共同劳动，且须互相交换他们的劳动，方才能够生产。他们为着生产，加入于一定的关联及关系里，而且必须在这些社会的关联及关系里面，他们的劳力才能施于自然之上，才能够生产”。

此处所谓“社会的关联及关系”，即一般所说的社会生产关系。这些“生产关系的总和，构成社会之经济的构造”。一切社会形式，即随此经济构造的改变而发生变动。至若经济构造如何变动，或者依照怎样的法则变动，那当由此生产关系内部表现出来的劳动力或生产力的发展而说明。

劳动的生产力，系由社会的自然的诸要素所决定，换言之，即由劳动者之熟练的平均程度，科学及技术学科的实用性的发展阶段，生产过程之社会组织，生产手段之范围作用能力以及种种自然关系所规定。社会的生产关系，原来系与此种受社会自然条件规定的生产力的一定发展阶段相适应，并且生产力在一定发展阶段，还会蒙受其所关联的生产关系的保育与促进。但在一定生产关系或别的所有关系下，得到保育与促进的生产力，势必要求改变生产样式，即改变获得生活资料的方法，从而要求改变以前所有的社会关系。至此，生产关系与生产力之适应联系破坏，即前者对于后者的保育功能，乃转化为其发展的桎梏。新的生产力，必然由其不可抵抗的新的生产关系的要求，而使既成的社会关系，既成的法律政治以及其他上层建筑，或急或徐的趋于倒坏。

过去一切社会经济关系的推移演变，虽然都是遵循这种法则，但这种法则的发现却还不过是挽近数十年的事。

第三节　社会经济发展过程上的历史阶段

上述社会进化法则的发现，诚然是人类知识进步的极大收获，但挽近社会学者经济学者关于人类社会史或经济史的一般范畴，却分途提出了一些与现实社会经济发展过程漠不相关的阶段法式。我们在这里没有批评这些“阶段理论”的余地，我们所要知道的，只是根据今日一般进步学者公认的上述的社会进化法则，所谓经济的社会结构，或社会的经济构造，究竟在历史的过程上，通过那些累进的阶段。照《工资劳动与资本》的著者所说：“各个人所借以生产的社会关系，即社会的生产关系，随着生产手段，从而也就是随着生产力的变化而变化。这个生产关系的总和，构成我们所称呼的社会。太古的社会，封建的社会，今日的社会，都不过是生产复杂关系所形成的结果之一种，而在人类历史的发展上，各划一个重要的时代。”[1]

在这段话里面，我们要有以次几种认识：

第一，我们上面所说的社会经济变动法则，是通体

[1] 同上，第二九〇页。

研究这些历史累进时代之实际社会经济状态而达出的结果，而并非预先凭空“制成”此种法则，然后再用此法则去硬行区划或发现各历史阶段。

第二，这位著者所分划的“重要的时代”，显然表明是从“人类历史的发展”考察出发；即是所谓“太古的封建的今日（资本主义）的社会”，虽系因适应社会劳动生产力，而不绝由低级进于高级之经济的社会结构的序列，但这所指述的，是关于世界史范畴上之人类社会经济结构的种类，和此诸种结构的层叠与累积。换言之，即这种累进的历史的序列，乃由特定诸国诸民族之历史而独立而抽象化的一般方式；所以此种方式，可以抽象的一般的通用于各个国家各个民族的历史方面。不过：

第三，人类社会历史的发展，与前述物质的自然条件有密切的关联，各民族在相互不同的自然条件，乃至历史条件的影响下，其社会经济发展行程，必然不免要表现出种种差异。如某民族在某一社会发展阶段所显示的生产规模，所延续的时间，以及在其经济基础结构上所呈现的各种上层建筑姿态，都不一定能与其他民族在同一阶段所经历表现者相同。前述那位著者所说的:“太古的社会，封建的社会，今日的社会……在人类历史的发展上，各划一个重要的时代”云云，一方面虽表明此三者为“重要的时代”，为各民族必经的时代，但同时在言外还表明有次于此等社会区划的次要时代，或者一切民族不必都要经过，或者即令经过，但因自然条件与历史条件的复杂作用，致使其表现于社会形式和经济结构上者，其时期甚骤，其范围甚狭，其程度甚浅。所以古代希腊罗马社会的奴隶制度，在西方的日耳曼民族间，在东洋若干民族间，并不曾显著的存在。

第四，各民族所遭值的自然条件，乃至其所蒙受的历史条件的影响不同，他们在社会经济发展的过程上，当然不能并驾齐驱。所以在资本主义势力坠落一部分到社会主义领域的今日世界中，不但封建体制，就是最原始的生活形态的残余，我们尚不难在世界各落后民族的社会中发现。不但此也，那怕在同一国度，同一民族间，亦往往并存着各历史时代的社会经济体制。然而我们不能因此就否认社会进化的历史法则。最近有位名为特列夫斯基（I.Delevsky）的学者，居然发出这样的议论。“……奴隶制农奴制和自由工作同时并存，有时调和到他们难得决定主要职责是属于某种劳动形态。在古代社会里，当希腊罗马的奴隶制度达到其发展的最高峰时代，自由劳工在数目上常占着很多。依梅伊耶（Eduard Meyer）所说，自由劳动和奴隶的存在，其时间同样的久远。中古时代，奴隶在这个术语的狭义之下，乃与农奴甚至城市中的自由劳动存在得一样长久，在美洲，奴隶制与自由工作同时并存。历史并不承认有法则。……”[1]其实这是根本不懂得历史法则如何构成的呓语。谁都知道古代希腊罗马社会与奴隶并存的有自由市民，但问题是要看当时的生产样式，以及由那种生产样式所规定的生产关系，究竟呈现怎样的姿态，换言之，即当时供应统治贵族及自由市民诸君之豪华放纵生活的，究是少数偶尔勉强从事生产作业的市民的“自由工作”，抑还是那些广大奴隶群的“污秽不洁”的劳动。历史在本身上无所谓承认不承认法则，我们为研究历史的方便计，却不能不依据它在发展过程上所表现出的内在的合则性与规律性，及由此等性质所显示的诸般要

[1] 参照《时事类编》第三卷第十四期，第六十二页。

键，而区划为几个“重要的时代”。

根据上述四点，我们知道：

（一）一切民族之社会经济史的发展，大体都不能飞跃的或突然的超越人类进化必然遵循的历史阶段。但

（二）在一般超越特定诸民族诸国家的世界史范畴中，我们因为不能否认不同的自然条件乃至历史条件所加于特定民族国家的不同影响，所以对于这一般的历史法则，还得多少承认其伸缩的弹性。即某种特定民族的社会经济之史的发展，也许不免要经过比较曲折的阶段。如像古希腊罗马在封建社会以前，还经历过奴隶社会阶段，即其一例。

凡此种种，都是我们在论述中国社会经济史的发展当中，所应当具备的认识。

第二章　中国社会经济史上的方法论问题

第一节　亚细亚生产方法论争

关于亚细亚生产方法的性质问题，即主要关于中国社会生产方法的性质问题，最近在苏联日本乃至中国本土，都引起了颇激烈的论争。这种论争是根据纯粹理论的立场，抑是由于实践上的要求，我们用不着去管，我们所知道的，只是在这种论争的过程中，对于中国社会经济史的论证，一方面虽然不免引起许多议论上的波澜，但同时却也大可给予我们种种有益的暗示。

所以我在这里想把这种论争的经纬，划出一个轮廓。

理论上论争的根据，是发因于前述《工资劳动与资本》的著者。这位著者在此小著中，原主张“在人类历史的发展上”，“太古的社会，封建的社会，今日的（即资本主义的）社会”，“各划一个重要的时代”。但他在一八五九年所发刊的大著《经济学批判》的序言中，却略微改变了他的表现方式，他的说法是这样：

> ……在大体的轮廓上，亚细亚的，古代的，封建的及近代有产者的生产方法，是可以表识为经济的社会结构之进展的各个时代。[1]

这种说明与前者不同之点，只是在时代的区划上，把封建的生产方法以前的社会由“太古的”分成为“亚细亚的，古代的”，或者是在“古代的”前面，更增添一项“亚细亚的”。

著者在社会进化阶段论上的这种修正的表现，决非对于其原来的主张有所变更，反之，却是更加推进一层的认识。原来著者在著述《工资劳动与资本》时，尚不充分明了人类史上之氏族秩序的位置；即在其撰著《经

---

[1] 见郭沫若译:《政治经济学批判》序言，第四页。

济学批判》时，亦还只注意到亚洲特别是印度残存的原始共产制，此种事实，就在其挚友恩格斯亦不否认。他曾就莫尔甘（Morgan）于一八七七年出版的《古代社会》说："莫尔甘的伟大功绩，就在他于北美印第安人的氏族结合中，发现了希腊罗马及日耳曼的古代的迄今尚未解决的最重要之谜的键。"[1]这就是说，在一八五九年《经济学批判》问世时，这"最重要之谜键"，尚不曾为著者把握着，但由他在一八五三年发表的《中国印度论》，已经知道东方或亚洲的原始共产制的残余，同时又因他确认古代的社会，一定要由此种原始共产制所导出，故他在尚未充分觅得其他一切社会全都经过此种历史阶段的证迹以前，姑先将大体已经知道的中国印度或亚细亚的原始体制，作为古代社会所由导出的前一阶段，因之，他这里所谓"亚细亚的"涵义，显然是一般的指着原始共产社会。

但今日一般研究东方社会的社会学者，为了支持各自提出的主张，遂对于此种"亚细亚的"字句，分别作机械的"望文生义"的解释，以为"亚细亚的"云云，

[1] 参照早川二郎译：《亚细亚生产方法论》，第三八页。

乃专就亚洲的生产方法而言，即把亚洲的社会发展法则，从一般社会的发展法则“放逐”出来，换言之，就是在承认亚洲社会的特殊性的前提下，把亚洲的生产方法，看为一般生产方法的例外。主张此说的，有许多鼎鼎大名的学者，如蒲列哈诺夫（Plekhanov），如柯金（M. Kokin），如马扎尔（Madjar）等，但仅就这三位的说法就各各不同。

蒲列哈诺夫是高唱地理的唯物论的，所以他认为亚细亚的古代的及封建的生产方法，可视为同时存在的经济的结构，而非继起的经济的结构，照这样解释，就恰好投合他的地理的唯物论的倾向，因为这一切社会的结构的独自性，可以说是发生于地理的条件的独自性[1]但无奈著者紧接前述那句话之后，还说“有产者的生产诸关系，是社会的生产过程中最后的对抗形态……”，况那句话中所谓“……表识为经济的社会结构之进展各个时代”，不已显然表示那是继起的而非并存的现象么？

次就柯金的主张来说。柯金是承认亚细亚生产方法之特殊性或例外性的，他以为中国在纪元前十五世纪至

[1] 参照早川二郎译：《亚细亚生产方法论》，第三三页。

二十世纪，乃过着氏族社会生活，此后至纪元前二三世纪即至战国末期为止，即系从事亚细亚生产方法；降及秦汉以后，则为封建主义当道，这是把亚细亚生产方法硬插在封建社会与氏族社会之间。

然而主张亚细亚生产方法之特殊性最力的，要算马扎尔，他是今日研究东方问题特别是中国问题之世界的权威，他的主张，差不多可以代表一切承认中国社会之特殊的学者的意见。他和他的一派学者，都以为东方社会特别是中国社会，有以次四种特征：

（一）土地国有——非私有；

（二）人工灌溉及因此而引起的大规模公共事业组织之必要；

（三）农村共同体；

（四）在国家形态上表示的专制政治。

据他所说，大规模灌溉组织之必要，就是中国中央集权的专制主义政治的前提条件，但马扎尔知道政治组织是由一生产秩序构造导出的结果，所以他把土地国有——非私有，看为是理解亚细亚特殊生产方法之键。本来大土地所有是欧洲封建制度之一种显著特征，东方诸国土地既归国有，当然不能与欧洲封建的生产方法相提并论。但马扎尔在这里犯了两种很大的错误：

第一，他忽视了以次的事实，即封建的土地所有关系的本质，就是由主要生产条件即土地的所有者，对直接生产者强制榨取其剩余劳动，并结成农奴的主从关系，至若土地所有者为私人抑为国家，那是无关大体的。

第二，即使退一万步承认土地国有和私有，为亚细亚生产方法与封建的生产方法的一大分野，但马扎尔认定中国的亚细亚生产方法，是延至西方资本主义侵入中国以后，才开始破坏的，然则中国土地私有的现象，也是延到这时候才发生的么？

马扎尔的主张，在理论上事实上都说不通。

但无论马扎尔也好，以及前面述过的蒲列哈诺夫或柯金也好，他们有一个共同之点，就是认定东方或中国社会演变法则，不能依一般社会或欧洲社会的演变法则去解释，从而对于前面所说的“亚细亚的，古代的，封建的及近代有产者的生产方法”云云，在蒲列哈诺夫，其解式当如次：

（A）{ 亚细亚的生产方法
古代的生产方法
封建社会的生产方法 }

照柯金的主张，其解式如次：

（B）氏族生活 → 亚细亚的生产方法 / 古代的生产方法 → 封建社会的生产方法 → 资本主义的生产方法

最后，在马扎尔立论，其解式当如：

（C）{ 中国特殊的（亚细亚的）生产方法
古代的生产方法→封建的生产方法 } → 资本主义的生产方法

而事实上则是：

（D）亚细亚的生产方法→古代的生产方法→封建的生产方法→资本主义的生产方法

在承认这四者之继起性的前提认识下，所谓“亚细亚的生产方法”，无疑是一般的指着原始共产社会的生产方法。至同一著者在其他著述中所具体论及的亚洲或中国印度诸邦之社会经济状况，那当与这里所说的“亚细亚的”云云，不能相提并论了。

总之，中国社会经济的发展，并不曾逸出人类世界史的一般范畴，而在中国以外的其他东方国家，亦属于此。所以被看作特殊的“亚细亚的生产方法”，实际并不存在。

第二节　中国奴隶制度问题的着落

不过，否认特殊的“亚细亚的生产方法”为一事，在相当范围内，肯定特定民族之自然条件与历史条件的差异，从而肯定特定民族之经济的社会体制及其发展过程上的不同姿态，为又一事。上述四个阶段，虽为世界最大多数民族所曾经历过来的重要历史时期，但各特定民族经历此等时期的方式与步骤，却并不尽相同。例如依照上述四阶段的演进程序，在称为“亚细亚的”原始共产体制而后，接着就是被称为“古代的”奴隶制，以次是封建制资本主义制；在彼此不尽相同的自然条件与历史条件的作用下，某特定民族经历封建阶段的时期特别短，某民族逗留于资本主义阶段的时期特别长，而其他民族尽管在封建阶段长久停滞下来，但其前于封建制的奴隶制，却因为在实施的范围与程度上，都不够形成一个历史阶段，于是关于这个民族之历史的叙述，就用不着定要按照公式，对它“凿孔裁须”的插入一个奴隶制度时期。

中国在封建制的阶段是逗留得极其长久的，但其“划时期”的奴隶制却不曾在中国历史上呈现过；事实尽管如此，然而迂就公式的中国社会史研究者，却硬替中国“制造”出一个奴隶制时期。不过各家所说不一。

照郭沫若所说，“西周时代，是奴隶制度时代”。

照吕振羽所说，“周代的封建国家，是建筑在殷代奴隶所有者国家的废墟之上”。

照王宜昌所说，“不仅从秦汉两代中广大的奴隶存在，可以证明秦汉之为奴隶制度，而且从周代以至春秋战国的奴隶城邑，亦可证明他们为奴隶制度”；“经过了秦汉魏晋各代的政治变革，奴隶中心地的转移及奴隶制的变化以后，最后才由以民族生产方法和奴隶生产方法而产生新的封建生产方法的五胡底征服，将它推进于封建制度”。

照王礼锡所说，“奴隶制度自金已然，不过元朝的集权大帝国成立，才更加扩大其基础，而发展有作用而已”。

此外还有陶希圣等的说法，不欲多引了。若仅把上列各家所主张的奴隶制度时期，加以综合的系列，我们便发现一种有趣的结论，就是中国自夏商周三代以后，直至金元二代以前，差不多都是奴隶制度社会了。

关于中国社会发展史上奴隶制阶段意见之如此分歧，在一方面固然说明了中国历史上没有一个显明的，成为“划时期”的奴隶制的存在，同时却又表明历代都有役使奴隶的事实存在。然而问题的焦点，不在中国历代有无奴隶，而在那些散漫的零碎的存在的奴隶的数量与性质，是否根本的关联到一般所谓奴隶生产方法。

如其我们不否认奴隶制度是奴隶所有者与奴隶结成的社会关系，并且这种社会关系，是以奴隶所有者榨取奴隶之全部生产物（除了仅够维系奴隶生命者而外）为其经济基础，那上述诸家关于中国社会史上之奴隶制的认识，就根本忽视了以次两命题：

第一，典型的奴隶制度上的奴隶，是实际从事生产活动的奴隶，而非家内役使的仆婢，也非在贵人要人车前马后驰驱的奴隶。然而上说诸家举证的奴隶实例中，差不多有百分之九十九是限于这类性质的奴隶。

第二，中国历史上虽然间或可以发现奴隶从事实际生产活动的实例，但我们要注意的，是看那种生产形态，对于当时相并存在的其他生产形态，是占着怎样的地位，换言之，即奴隶的生产方法，是否曾在社会某一时期立于主要地位。

诸家在迁就公式的前提上，虽然颇像是注重历史法则，但当其论证起来，却又把法则抛在脑后了。

第三节　中国社会经济发展的途径

由上面的说明，我们知道在中国社会之史的发展上，并不曾经历一个奴隶制的阶段；更确切的说，就是奴隶所有关系，从而，奴隶的生产方法，从不曾在中国社会经济的结构上，形成一个可观的，够占一个历史时期的场面。

就因此故，中国社会经济发展的全过程，就是由原始社会或原始氏族社会过渡到封建社会，而现在则还在封建制度的解体过程中。

在这种前提认识下，我们似乎应当把以次三点略加说明：

第一，由氏族社会过渡到封建社会的可能性。

第二，中国长期停滞于封建社会的实相。

第三，中国当前社会的特质。

先言第一点。据一位有名的社会科学者指示我们"没有奴隶制，没有希腊国家，没有希腊的艺术与科学；没有奴隶制，没有罗马帝国，但没有希腊文化与罗马帝国的基础，也不会有近代的欧洲"。这表明奴隶制在近代欧洲的发展上，演了怎样重要的角色，但主张此说的同一著者，却并不一定要强使一切社会，都套上此种理论公式，他关于德意志的发展形成说："日耳曼人依马克共同体的形态，把纯粹氏族制度的片断，移到封建国家……。"从世界史观察起来，封建制度的形成，大抵有以次两个过程：其一是在许多国家，奴隶制度于其发展过程中，转化为农奴制度，如十五六世纪间的俄国和古代的日本是；其一则是日耳曼封建制形成的过程：它一方面有其自身的前一时期的氏族社会的结构，一方面有被征服者的前一时代的商品关系的残余，由这两种原素合流而形成了封建制度[1]。中国封建制的形成显然不是采行前一过程，但也不尽是采行后一过程，不过，我们可以断言的，是孕育中国封建制的胎盘，不是奴隶制，而是原始的氏族共同体。由商到周，是氏族社会转化到封建社会的重要关键。但周代特别是西周的封建制度里面，还满含着极浓厚的氏族共同体制的成分。周代以后，官僚主义的中央集权的封建机构，乃逐渐由发展而进于成熟。以次，我们当述及前面提示的第二点，即中国长期停滞于封建社会的原因了。

在赞成亚细亚生产方法的权威学者如前述蒲列哈诺夫与马扎尔一流人物看来，亚细亚生产方法下之生产力发展受到停滞阻止的要因，就是因为社会分化之高度发展前提的奴隶制度没有发展，[2]但依照此种说法，我们将无从理解亚洲另一个国家（日本）社会停滞的情形，因为日本是在古代经历过奴隶制度阶段的。中国社会的停滞，我们可以从两方面来说明：其一是“停滞”本身

[1] 参照《中山文化教育馆季刊》第二卷第一期，第一一六页。

[2] 参照《中国农村共同体及其遗制》，见《日本济经评论》第二卷第七号，第一〇页。

的意义，其一是二千余年封建组织“再生产”的实相。由前者而论，停滞是一个颇滋误会的语辞，诚如德国一位“中国通”学者威特福格所说：“……一旦被形成的生产及社会体制内部的成熟，曾在这个长时期内，把经济的中国并精神的中国，置于极活泼的活动及发展的状态下。”[1]他并说，“这经过非常长期的时代的诸事件与诸变化，对于中国由秦代革命所定下基础的经济原理，曾加以显然的修正，并使其完成与深化。但在本质上一个新的经济体制，至十九世纪即至欧洲资本主义侵入的当时，是还不曾显现的。”[2]——我们由此知道，所谓“停滞”云云，并非长期不发生“变化”，或没有“活泼的活动”，而只是不曾出现一种“新的经济体制”，从而，要解释中国社会的“停滞”，亦只能限于此种范围。中国封建制的特征，是官僚主义的中央集权化，中央集权化的物质的基础，主要虽为大规模的治水组织与灌溉制度，但防御外敌的要求，亦颇有关系。在中央集权化的政治形式下，必然要产生与此政治形式相适应的封建的

[1] 见 Wittfogel 著，横光次郎译编：《支那经济史研究》，第五六页。

[2] 同上，第五五页。

官僚阶级。此官僚阶级在既存的商业资本及货币关系的相对发展条件下，由吞并小农民的土地，而发生所谓大土地所有者的特殊阶级层，由是官僚阶级的世袭的地方割据的倾向，乃与国家的中央集权的倾向相对立；在此种对立关系中，所谓“壮者散而之四方，老者转溺乎沟壑”的现象发生，接着是破坏生产力的大战乱。在对内对外的要求上，“吊民伐罪”的“真命天子”出现，由是中央集权的封建机构“再生产”出来。但这种意义上的“再生产”，是所谓“扩大再生产”，而非“单纯再生产”，因为那种集权的机构，是愈来愈完密，愈来愈扩大的。不过，自然的条件与历史的条件，无论使中国封建制度，备有怎样特殊的政治形态，或经历过怎样的变动程序，但在原则上，中国封建制度究与其他国家的封建制度，没有何等根本的不同。

最后，我要略略提到前述第三点，即我们当前社会的特质了。中国官僚主义的封建机构，本来至有清一代而更臻完密，但自欧洲资本主义势力于八十年前侵入以后，这封建的机构即开始进于分解。时至今日，中外的社会经济学者，虽依各各不同的立场，断定中国目前还是封建社会，或者已是资本主义社会，或者折衷而论，说是半封建社会或商业资本主义社会，但这种种不同意见的产生，正表示中国当前社会是一种过渡性质。在资本主义势力透到社会底层的现况下，过去依土地榨取关系所维系的封建组织，当然无法保持，但在各帝国主义要以中国为其制品销纳地和原料供给地的桎梏之下，中国决计不能变成资本主义国家。这种进退失据的情形，正好形成我们当前过渡期中的半殖民地的社会经济的姿态。

第二编

原始时代

第一章　先史时代的中国社会

第一节　中国人的原始生活

追溯中国人的源起，无疑是一个极困难的问题，但同时却是理解中国人之原始社会生活所必须注意的问题。

中国过去因为没有唤起研究原始社会生活的需要，所以中国人对于自身的起源问题，一向不曾留意。神话中"开天辟地"的盘古氏，那是中国人心目中的"造物主"，同时亦被认为是我们最古的第一代的祖先。至关于这位"老祖先"的"故居"及其日常生活状态，那是我们这些后代不肖子孙从未关心到的。

依照社会学的权威著者莫尔甘（Morgan）所说[1]古代社会可分为三个阶段研究，一为蒙昧阶段，一为野蛮

[1] 见莫尔甘一八七七年刊行的《古代社会》。

阶段，一为文明阶段。文字的发明和用文字从事文献的记录，为文明与野蛮的分野。从而，由人类摇篮时代以至进入有史时代以前，皆属于先史时代，而蒙昧与野蛮两阶段，则包括有先史时代的诸社会。依据近人研究的结果，中国文字的发明，系始于殷代末期，由此可知殷代为中国古代文明阶段的起点，而以前则属于野蛮和蒙昧阶段。如其我们不妨由此推定儒家笔下生花的“唐虞盛世”，至多只相当于野蛮阶段的中期，那我们想像中的，元始祖盘古其人，就不过蒙昧初期的一位不知道语言，而且仅能采食自然果物与草根树皮的原人而已。由这位原始祖先，传到有史社会发轫的当时，究竟经历了几何岁月，那不是我们所能知道的，且也不是我们所必须知道的。我们所当留意者，只是我们的祖先在蒙昧阶段在野蛮阶段，究曾从事过怎样的社会生活。

关于原始人类社会生活的研究，一般是借助于两种科学：一是人种学，一是考古学。人种学把现在还停滞在氏族社会的落后民族的生活状况告示我们，考古学则把原始人类的骨骼及其使用的劳动工具告示我们，我们把原始劳动工具与当前落后民族的劳动工具加以比较，就可由后者的生活状况，而推知前者的生活状况。但原始人类使用的劳动工具中，有的烂腐了，有的被风吹散了毁坏了，残留下来的，只有骨骼与石器，故考古学家依残遗的石器的精粗繁简，而把原初社会区分为新旧石器时代；旧石器时代约相当于蒙昧阶段，其石器皆极简单而未经琢磨，新石器时代约相当于野蛮阶段，其石器都曾加以人工的制作。

中国人在蒙昧野蛮阶段，即在石器时代的一般活动状况，至最近十余年来，始由考古学者的努力发掘，而现其端绪。兹就新旧石器时代分别解述。

一、旧石器时代

一九二〇年爱弥儿 · 里生（E. Licent）氏曾在甘肃庆阳县北，发现旧石器时代之石器，一九二二年又在西拉乌苏果勒流域发现同时代人类之齿骨。一九二三年同地附近发现同时代动物之化石遗骨及石器骨器，更于甘肃宁夏县附近，见到许多旧石器时代之遗迹。在同一年度，陕西亦有属于同时代之石器发现。尤可注意者，所有这些遗物，不是出现于地下能依风搬动的黄土层中，而多半是发现于黄土层下部的砂砾层之上。由此可知陕西及甘肃北部之旧石器时代的存在，盖为既经证明的事实。不但此也，在一九二一年以后，安德森（Anderson）还有几次在北平西南约三十七英里的地方，发现了世界最古的人类，及属于同时代之人类的齿与骨骼。可见旧石器时代的原始祖先，并不仅散居于西北陕甘一带。

二、新石器时代

新石器时代的遗迹，至为繁多，其所分布之地域，亦极广阔。依前述爱弥儿·里生氏于一九三〇年所发表，新石器时代之遗迹地，散见于中国北部及满洲蒙古者，计达七十处之多，其范围遍及陕西甘肃河南河北山东热河奉天等省。由一九二〇年至一九二一年，安德森与北平地质调查所，曾在河南渑池县仰韶村，发掘出了许多石斧石镞，石刀，石制纺锤具，石环之类的石器，以及骨镞，具镞，骨制针，角制针，土制纺锤具，并其他土器。这些都是属于新石器时代的遗物。至一九二三——四年，甘肃地方的遗迹地，又发掘出了铜器及青铜器，由此断定当地曾住有由石器时代移向金石并用时代乃至青铜时代的种族。据安德森推测，甘肃地方的这些遗迹，约为西元前三五〇〇年至西元前一七〇〇年间的遗物。

由以上考古学的证迹，更验以人种学社会学研究的结果，我们大体可以知道中国人在旧石器时代，至少已奠居于黄河上游的陕甘北部。经过了不知多少世代的岁月，他们主要用以从事劳动的简单石器工具，逐渐变其原型，加以人工制作，他们由是进入新石器时代；他们的种族，亦逐渐扩展到山西河南河北地方。他们此时已能利用火及石斧石刀，制成简单的“生产财”。据前述石镞骨镞贝镞的发现，已可推知当时已发明弓矢，把猎狩当作一项正规的劳动部门，从而他们的食品，除天然果物外，还有兽肉。他们已经在用土制纺锤具石制纺锤具，编织树皮的纤维，并依极幼稚的方法，用石锹从事植物的栽培。不过，他们这时虽有石器骨器土器，但还不知道金属，故就前述古代社会的三阶段言，只不过是相当于野蛮阶段的初期。

中国北部各地所发现的铜器青铜器时代的遗迹，正表明中国人已知道熔解矿物和利用金属，他们这时已进入野蛮阶段中期。照莫尔甘研究人类原始社会状况的结果，凡属文化进入野蛮阶段中期的种族，大体都知道饲养并繁殖家畜的方法。他们由是会把畜牧当作其主要业务。“畜牧事业的进展，完全变更了人类的经济技术。有了家畜之后，能够经营比较稳定的经济，可以贮藏并积聚财富”[1]，由是“同是处于贫困地位”的原始社会，乃由此种财富的蓄积方法，而导来以次诸般变革。

第一，原始氏族社会，原系依母系决定后裔的宗派。此种母权制度的确立，与极原始的经济活动，紧相关联，但在畜牧事业活动中，男子作用最大，由是对于此新的经济组织，乃不能不发生一种以父系决定宗派的新形式，以与其适应。

第二，畜牧氏族系由保护畜群及牧场的领域而形成。这两种要求，都不免引起同时并存的诸氏族畜牧集团之间的对立与争斗，在此对立与争斗过程中，自然会产生氏族的军事领袖，以及由战斗并吞结果而造成的更大的集团。

以上两者是一切原始社会发达至一定阶段所必然产生的现象。中国这种变革，在商代王朝出现以前已经成就。

[1] 见库斯聂著，高素之译:《社会形式发展史大纲》，第一八七页。

所以商代为中国社会由野蛮过渡到文明的分野，同时亦是中国由种族社会形态转换到国家形态的一大转回点。

可是历史演化的程序，虽然必须遵循此种途径，但中国过去却有与此事实大相悬殊的记载残留下来，在叙述中国原始社会在商代渐趋崩溃以前，我们却不妨概括提举商代以前的那些传说记载，借作对照的参考。

第二节　传说的诸文化阶段

中国东周以前史料所典据的载籍，及历朝相当于西元的年代，有如次表：[1]

时代	年代	典据
（夏以前？）	约至西元前一八〇〇年为止	书经
夏	至西元前第十六世纪时止	书经
商（殷）	至西元前第十一世纪止	书经　诗经
西周	西元前七七〇年止	书经　诗经　周礼　易经
东周	西元前二二五年止	史书　《春秋》《左传》《国语》儒，墨，道，法礼等家之诸学派的哲学政治论著

[1] 见 Wittfogel 著:《中国经济史的基础及其诸阶段》参照日本《历史科学》第四卷第十号，第七九页。

关于上列各书之真伪问题，中外学者颇多论列，这里没有申述的余裕。但依据中国文字形成于殷末的事实，则所有关于殷代以前的记载，即令不完全是出于“托古改制”的臆造，至多亦系得自传闻。在交通阻滞，知识简陋的古代社会，对于几十年几百年以前的传闻，已无法求其近似，若几千年的传闻，当然是出自穿凿附会的捏造了。现在姑依照传说的历史顺序，分述商代以前的诸文化阶段。

一、伏羲氏（即包牺氏）时代

据《易·系辞传》所述，“古者包牺氏为天下王，仰观象于天，俯则法于地，观鸟兽之文，观地之宜，近取诸身，远取诸物，于是始作八卦，神明之德以通，万物之情以类，作结绳为网器以佃以渔，盖取诸离。”这一节记载里面所暗示的当时的生活方式，是由“以佃以渔”而征知的打猎捕鱼。然在“打猎捕鱼”时代竟有一个“作八卦”以“通”神明“类”万物的天下王，这为近代人的社会常识所不许。至伏羲氏是否有其人，以及这个天下王究当西元前若干年代，那就在渊博典雅的西汉大史学家司马迁，他亦只有叹说“神农以前，吾不知矣”[1]了。

二、神农氏的时代

司马迁氏言“神农以前，吾不知矣”，其语意似对神农及神农以后，较有把握。然而他关于神农时代的记述，大体亦还是典据《易·系辞传》，据云：“包牺氏没，神农氏作，断木为耜，揉木为耒，耒耜之利，以教天下，盖取诸益。日中为市而退，各得其所，盖取诸噬嗑。”依此所示，神农时代较之伏羲氏时代进步多了，这时不但由渔猎进而以木制的农具，从事极幼稚的植物栽培，且还发生了交易。

三、黄帝尧舜时代

据《春秋·纬命历序》所说，“神农炎帝号曰大庭氏，传八世，合五百二十年”。神农之后裔不修祖德，黄帝轩辕氏代之而兴，以后历颛顼高阳氏，帝喾高辛氏而至尧舜。而《易·系辞传》对于黄帝尧舜时代的大事记，

[1] 见《史记·货殖列传》。

则是如此："神农氏没，黄帝尧舜氏作……黄帝尧舜垂衣裳而天下治，盖取诸乾坤。刳木为舟，剡木为楫。舟楫之利，以济不通，远致天下之利，盖取诸涣。服牛乘马，引重致远，以利天下，盖取诸随。抱门击柝，以待暴客，盖取诸豫。断木为杵，掘地为臼，臼杵之利，以济万民，盖取诸小过。弦木为弧，剡木为矢，弧矢之利，以威天下，盖取诸睽。上古穴居野处，后世圣人易之以宫室，上栋下宇，以待风雨，盖取诸大壮。古之为葬者，厚衣之以薪，葬之中野，不封不树，丧期无数，后世圣人易之以棺椁，盖取诸大过。上古结绳而治，后世圣人易之以书契，百官以治，万民以察，盖取诸夬。"照此说来，这个时代算发明了舟楫，臼杵，弧矢，宫室，棺椁乃至文字等等，此外，中国的天文历法，亦说是起源于黄帝之世，《史记 · 历书》且谓"黄帝考定星历，建立五行，起消息，正闰余"，不过"以闰月定四时成岁"，则说是唐尧一代的大杰作。我们姑且不问文字是否发明于黄帝之世，唐尧"定四时成岁"，即令确系事实，唐尧以前显然是浑浑噩噩不辨岁时，并且以宫室发明于黄帝尧舜时代而论，先于此时代的伏羲神农诸"王朝"的

“天下王”，亦还是穴居野居，不成局面！至他们依结绳方法留下的“王朝”大事记，不知后代如何辨得？总之，姑妄言之，姑妄记之而已。至黄帝一代战榆罔战蚩尤的武功后世多所称述，其实以当时“新发明”的木制弧矢，“以威天下”，极其限，不过是率领大群野人的酋长，打散了不受其统治的诸小群野人队伍而已。他若“稽古帝尧”“稽古帝舜”的文德与文物，即使是有的，其可信程度，亦当与黄帝轩辕氏的武功，作同一折扣。

四、夏禹之世

古籍传说尧因舜有德，而禅位于舜，舜亦因禹治水有功，而禅位于禹，禹子启贤，于是禹传位于启，而开家天下之局。我们现在不用算这笔历史陈账，我们所应注意的，是有关当时社会生活及社会制度的治水问题。夏禹平治水土的事迹，详载于《书经 · 夏书 · 禹贡》篇，据云，他受命治水，系由帝都所在的冀州（其中心部分，当今日山西省）开始；先由其南部壶口疏凿黄河水道，治岐山逾梁山，再顺次而治平兖州，青州，徐州，扬州，荆州，豫州，梁州及雍州的水土。在治水当中，他并依各州土色土质，分定土地的肥饶等级为九等，更参酌种种情形，制定九等田赋，且调查各州土产，而指定其贡品。在贡品当中，如兖州提供者为漆为丝；青州海滨广斥，其贡纳者为盐，絺，海产物及麻铅松等；徐州贡纳者，主要为真珠为鱼；扬州贡纳者为金三品（金，银，铜）及齿，革，羽，毛玉石竹类；荆州贡纳者，大体与扬州同；豫州贡纳者，为漆，麻，絺，纻；梁州贡纳者为镠，铁，镂，银，狐狸织皮等；雍州贡纳者为球琳（美玉）琅玕（类似石玉）等。照此推论，大禹所成就的制定贡赋的工作，殆与其治平水土的工作，同样艰巨，但同时亦是同样不可信赖：

第一，依据殷墟出土的龟甲兽骨文字，中国文字在殷末尚在形成过程中，我们无法相信殷末以前一千年的当时，能有如此典雅的记载。

第二，治水即令是已有的河道，疏而通之；我们如不相信禹能驱妖使怪，则其治水工作，实非当时技术知识所能做到。

第三，在文字尚未形成的当时，禹贡中所表现的地理知识及各地的物产调查，究难令人置信。

第四，贡物中，有金三品，有铁，还有“玄纁”“纤纩”一类精细织品；我们如其不否认铁发明于战国，纺织业亦系到周代始有相当进步的事实，则此类超越物质环境的记载，要不外出于后代的虚构。

尤可笑者,《禹贡》中最喜欢运用“九”的数字。其州为九，其川为九，其泽为九，其山为九，其江为九，其田土为九等，其田赋亦为九等；一若禹在治平水土，制定田赋之前，已预悬一“九九”计划。近人（如郭沫若等）论证《禹贡》为后代儒家之伪作，殆已为一般历史社会学者所公认。至夏禹是否真有其人，存续至西元前第十六世纪的有夏王朝，是否实在，我们还是劳历史学家去证辨。不过关于有夏一代的社会经济情况，我们确是难由传说得到什么的。

总之，由伏羲氏以至夏禹之世，中国至多还是逗留在古代社会的野蛮阶段，就是降及殷末，亦还只相当于野蛮阶段下期；上述诸传说所显示的社会文化实相，无疑有许多矛盾和牵强附会的地方，但通体看去，亦尚未大越社会进化的序列。例如伏羲氏以佃以渔，至神农氏制作耒耜耕种，至黄帝轩辕氏则注意工艺及交通，夏禹更制定贡赋，治平水土，以立国家之规模；依照社会发展程序“演义”下来，大体尚能给予我们以了解中国古代社会的启示。不过传说所益助吾人者，至多只是一种启示而已。在事实上，中国最古的国家体制，在殷代还只有一点萌芽，即中国的原始氏族社会是直到殷末才渐形崩溃的。

第二章　中国原始社会的崩溃

第一节　所谓殷商王朝

关于商代或殷商的史实，过去亦系征之传说。据《尚书》所载，远在唐虞“盛世”，商之祖先名契者，即为执掌文教之司徒官，后封于商，即今陕西西安之商州。由契传十四世而至于成汤，成汤因夏桀无道，大兴吊民伐罪之师，诛灭夏桀，统一天下，国号曰商，定都于亳。成汤以后之君主，屡易国都，至第十世之盘庚，迁都于殷，此后则不称商而称殷，或称殷商。由盘庚再十八传而至于纣，纣暴虐无道，罪浮于桀，于是周之武王兴兵诛纣灭殷，于是殷商王朝消灭，计前后二十八世，享祚六百余年，以西元计算，殷商王朝约在西元前第十一世纪告终。

就殷商历代迁徙地域，及其后裔受封领地来看，殷之文化范围，大约限于陕西东部，山西南部，河南北部及山东若干地域。殷商虽距文明阶段最近，但其社会组织及一般人民生活状况，过去犹不易得到“近似”的推测，即以去殷未久，而远在二千余年以前的孔子，亦因“文献不足”，而有“夏礼吾能言之，杞不足征也；殷礼吾能言之，宋不足征也”之感。

然至西元一八九八——九年，洹水泛滥，河南彰德安阳县西北之小屯村落，乃因洪水冲刷，致土地流失，而现出许多附有奇体古文字之龟甲与兽骨之断片。当地农民更于其附近耕地黄土层中，掘出同样之碎片数千枚，且还发掘出了若干青铜器象牙与土器等。此地相传为古来之殷墟，即殷代王朝帝都之遗迹。

这些发掘出来的龟甲兽骨碎片上所记载的古体文字，主要皆系关于殷代王室所行的占卜文辞。我们根据此等文辞，不但知道今日的文字，在殷代尚在形成过程中，同时，对于以前专靠《易经》《诗经》《书经》等传说古籍所推测的中国极古社会，从此乃开一新的实证的研究途径了。由是，关于殷代的社会经济实况，以及原始氏族社会所以趋于分解的究竟，我们乃能作近似的推断。

第二节　末期氏族社会的生产状况

根据殷墟出土的卜辞，以及其他发掘的青铜器与土器，我们第一知道当时已经发明了文字，知道熔解金属，利用金属，并从事简单的植物栽种。至殷代的生产业务，有人主张是以农耕为主业，以田渔游牧为副业，大多数人则主张是以畜牧为主业，以农耕为副业。

据史书的传说，由契至成汤曾迁八次，王静安氏在《三代地理小记》中考证其“一迁，由商迁于蕃。二迁于砥石。三迁，复回于商。四迁，东徙于泰山下。五迁，再归商，六迁于殷。七迁，又归于商。八迁于亳”。至成汤以后，又由亳迁嚣，迁相迁耿，最后盘庚又由耿迁殷。商人这样迁来迁去，盘庚曾说明其理由：谓“我……爰宅于兹，重我民，无尽刘。予若吁怀兹新邑，亦惟以汝故”。而且，迁徙之事，盘庚并声明非彼作俑，而是始于先王：故谓：“先王有服，恪谨天命，兹犹不常宁，不常厥邑，于今五邦”。至若先王之所以“不常宁”，“不常厥邑”，亦无非是“视民利用迁”。由此可知商人之无恒迁徙，与后代因政治关系迁都者不同，而是为了人民生活上之关系[1]所以盘庚那次迁都，“震动万民”。既迁之后，又昭告大众，“各恭尔事”，“建乃家于新邑”。换言之，就是为了生活上之要求，他们不得不举族迁徙。

上述事实，可以作两种可能的暗示：一种是认商人为游牧民族，一种则系认商人为“游农”，前者以为他们的“不常宁”，乃因畜牧关系，逐水草而居；后者则以为他们依简单农具，从事干地的换耕法，故不能不时常改变地位。此两说都似可通，但如依照前说，商人之迁徙，应当更为频繁；依《尚书·盘庚》篇之“建乃家”“于新邑”一类文句考察，当时虽未完全形成较固定的农业社会，至少农业已占有优越地位，田渔畜牧，不过一种副业。罗振玉氏所研究之殷墟出土之卜辞，亦殆可引出同一结论。卜辞关于生产方面之占卜，占最多回数者为卜田（即猎狩），次多者为卜风雨，又次多者为卜丰年，最少数者为卜渔。现在依此解说，以推究当

[1] 参照程憬著:《商朝之氏族社会》（见《东亚》第八卷第三号）。

时社会之一般经济状况。

一、佃渔

照卜辞占卜之次数而论，其中占第一位者为佃，占末位者为渔。似佃猎在殷末虽极盛行，而取鱼业务，则颇不重要。但吾人如明了卜辞之性质，为王者之占卜记录，则知关于田之卜辞，主要皆系以王者之狩猎为对象。不过，当时一般居民曾在相当限度内，猎取兽类，以供食用，则为无可否认之事实，当时的猎具，有弓，矢，网，阱等等。其所狩猎之主要对象，则有鹿，羊，马，豕，兔，雉之属。

依卜辞之分类比较，卜田为一百二十三次，卜渔仅七次。可见取渔在当时不甚关重要。

二、畜牧

狩猎无论为支配者之游戏，抑为一般人民谋生之一行业，狩渔盛行，必然会引起大规模之畜牧。卜辞中占第二位多数之卜风雨，近人郭沫若谓其于畜牧有关，其实此与农业尤有莫大关系。当时畜牧盛行之事实，由卜辞中常见牛，羊，犬，豖，马，鸡等家畜家禽之名称，即可征知。畜牧之主要目的，无疑系以禽兽为食料，但备祭祀之牺牲，乃至以狗马之属充当猎狩代步等劳役，亦属可能。特借畜类从事农业劳动之实迹，则殊难发现。

三、农业

在卜辞分类上占第三多数之卜年，即卜年之丰凶，确系有关农业之记录。殷代之劳动工具，最高级者亦不过铜制。由发掘所得之铜器，皆经化验而为纯铜。铜器极软且弱，断不能完全取石器之地位而代之，故当时除若干铜器外，石斧，石刀，石锹等等石器，仍为重要之劳动工具。不过木器之利用，当时亦相当普遍，但吾们无法发现其遗迹罢了。

殷代之农作物，主要者为黍，其次为禾麦之属。由卜辞中常见之“桑”字“丝”字征考，似当时已知植桑而养蚕。

四、工业

殷代一般劳动工具，既未脱却石器阶段，故其工业生产，尚极幼稚；举其要者，亦不过以次诸端：（一）土器制造；（二）铜矿之熔解与铜器（重要者为武器）之制作；（三）纺织——由卜辞中丝，绵，衣等文字而征知；（四）建筑——由卜辞中宫，室，宅，家，舟，车等文字而征知。上述诸端，大部分限于家内工业。至铜制武器与宫室建筑之类，大抵系隶属于支配阶层之手工业。

五、交易

工农业之生产状况如此，故当时之交易发达水准，至多不过在诸共同体之间，交换不同种类的自然产物。其交换媒介物，也许有时应用家畜或兽皮，以后则渐采用龟甲贝壳之类。

第三节　由种族社会到国家形态之推移

殷商特别是殷末的一般经济状况，既如上述，我们现在所知道的，是当时那种经济，究系由怎样的社会组织去进行，以及这种社会组织，是否适合于这一般经济的活动。

殷商的社会组织，主要系以族为单位。各族自身都有其独立组织与形式，同时各族更联合而为一共同体。此共同体之主脑即所谓“王”，而《尚书·盘庚》中之所谓“邦伯，师长”，则系各氏族政治上军事上之领袖。居全部族最高职位之“王”，其职务为世袭。王静安氏据卜辞研究商之帝系，所得结论如次：

> 商之继统法，以弟及为主，而以子继辅，无弟然后传子；自汤至于帝辛，二十九帝中，以弟继兄者凡十四帝。其传子者，亦传弟之子，而罕传兄之子，盖嫡庶长幼之制，商无有也。

至卜辞中所见之“卜王”或“求王”记录，大体系在无王场合，由王族中卜选其继承者，王位之传袭如此，各氏族之首长，也许同是依此方式传袭。此种传袭体制之实行，足征当时社会已存有某种限度的特权，然殷商为氏族社会之事实，则不会因此受到反证的。据《左传·定公四年》子鱼氏所述，商之诸族，至商灭亡后，犹存其余绪。子鱼氏云：

> 昔武王克商，成王定之，选建明德，以屏藩周……分鲁公以……殷民六族：条氏，徐氏，萧氏，索氏，长勺氏，尾勺氏；……分康叔以……殷民七族：陶氏，施氏，繁氏，踦氏，樊氏，饥氏，终葵氏。

司马迁在其所著《史记·殷本纪》中，亦谓：

> 自成汤以来，采于诗书，契为子姓。其后分封，以国为姓，有殷氏，来氏，宋氏，空桐氏，稚氏，北殷氏，目夷氏……

凡此等等，均为殷商之族；每族为一社会单位。亦即一大共同经济体所由组织成之经济单位。此种社会“经济单位”，或社会组织，在先本有助于原始经济的发展。比如“当农业还带有流荡性质的时候，需要大的氏族集团，以从事经营，如共同开垦新的耕地及共同生产。随着人群的扩大和发展，宜于耕种的土地逐渐减少了，因此，人类不得不开垦那些森林的荒原和湖中的空地。在狭小的地面上，以全集团经营共同经济，似觉十分困难。……集团的人数愈多，则愈难寻找耕种的土地，氏族就开始分为小的集团”[1]此即由族分解而为家之一般倾向。

在另一方面，此种社会之共同经济，早已不利于那些取得有特权的人们；农业由游耕而渐趋固定，畜牧事业的发达，财产蓄积可能性的增大，以及简单交易的出现，在在皆使种族中占有特殊地位者感到氏族关系的不利与不便。所以“当氏族社会内部的分化发展到最高度的时候，氏族社会的原始民主制，乃为军事独裁所代替”[2]。此军事专政局面无论由地方军队直接形成，抑是由此军队征服其他种族形成，均能组成一定的秩序和新的国家形式。至此国家形式与民族社会相异之点，恩格斯曾作以次之说明：“国家和氏族相异之特征，第一在于依据领土，区分其所属的国民；……第二，在于公权

[1] 见库斯聂著，高素明译：《社会形式发展史大纲》，第二二三页。

[2] 同上，第一一八——九页。

机关之创设。”[1]

殷商社会经济组织之不适于其经济发展状况，我们已经明白。但经济之发展，系行之以渐，其社会组织之变革，当非一蹴可几。树立殷商王朝之成汤，也许为一种族最高军事领袖。《尚书 · 汤诰》所载昭告“万方”之文句，以及此后盘庚迁殷发布“百姓”的告示，皆表示殷商一方面存有氏族之组织，另一方面亦吐露有国家体制之萌芽。不过，正式国家规模之树立，或氏族统制完全由国家机构所代替，是当期之于其次代之周朝，事实上，殷商盖为种族社会渡到国家形态之转换时代。

[1] 恩格斯著:《家族私有财产及国家之起源》，第二〇六——七页（参照张栗原编译:《社会科学之理论体系》，第二四六页）。

第三编

初期封建社会成立时代

第一章　古代中国农业社会之成立

第一节　序说

中国之农业，在殷商原已有相当之发展。然农业发展到成为决定社会形态之基石，则系始于西周。

周代固以农业为其主要生产形态，故关于其先代之传说，皆就农业方面溯其渊源。据《史记·周本记》所载："周后稷名弃，其母有邰氏女曰姜源。……弃为儿时，屹如巨人之志，其游戏，好种树麻菽，麻菽美；及为成人，遂好耕农，相地之宜，宜谷者稼穑焉。民皆法则之。帝尧闻之，举弃为农师，天下得其利。有功。帝舜曰，黎民始饥。尔后稷播时百谷，封弃于邰。号曰后稷，别姓姬氏。"

"后稷子不窋因夏太康无道而失官，奔于戎狄之间，三传至公刘复修后稷之业，务农耕，行地宜，自漆沮渡渭，取材用。行者有资，居者有蓄积。民赖其庆，百姓怀之，多徙而保归焉，周道之兴自此始。故诗人歌乐思其德”，曰：

> 笃公刘，既溥既长，既景既冈，相其阴阳，观其流泉，其军三单，度其隰原，澈田为粮，度其夕阳，豳居允荒。(《大雅·公刘》)

公刘迁豳之始，豳地原为一“陶复陶穴，未有室家”(见《大雅·绵绵》)之荒原，其后“筑室于兹”，“乃强乃理”“乃宣乃亩”，渐至凡百皆备。

由公刘十传至古公亶父，虽因“复兴后稷公刘之业”，积有多少财富。然财富适足启其四周戎狄侵夺之野心。于是古公亶父，又决然去豳，渡漆沮，逾梁山，邑于岐山之下。至其孙文王昌，又复“遵后稷公刘之业，则古公王季之法”，而教化大行，入其境，耕者皆让畔。文王对其四周之犬戎，密须，耆国，崇侯虎皆先后征服，于是作邑于丰，而自岐下徙都焉。至其子武王发诛伐商纣而有其天下。

照上述的史事，周代之兴起，大体系由于注重农业。吾人对于此类记载，虽难完全置信，但至少总可由此得到以次之暗示：

第一，周之祖先，自西征东，原为一文化幼稚之游牧民族。以后移至关中膏壤沃野地带，始渐从事农业。在他们从事比较定着生活以前之游牧阶段，也许在相当范围内，过着游牧兼“游农”的生活。

第二，农耕一旦由定着而稍具规模，适应此种简单农业方式之社会体统，必相因树立起来，而益促进农业之发展。

第三，农业社会支配者既由农业受到利益，于是多方诰诫其后代，不要把这门业务荒废。周公为使成王“知稼穑之艰难”，所以在《尚书·无逸》中，苦苦劝诫。至若“后稷教民稼穑”一类传说，是否依此目的编造出来，我们用不着漠然推测了。

但据今日一般学者的研究，周之农业，似乎全由殷代承袭过来，它自己是以游牧民族起家。我们固不欲引据传说以断言其失当，但谓西周自开业者文王武王以前，通为游牧民族，实有未妥。依据卜辞的研究，远在商之中叶，周人已与殷代发生过多次战争之纠葛。周人的农业，也许受过殷人的影响，但我们不能因此就否认其固有的简单农业。而且在西周以前，周人如其完全不知道农业，他们在灭殷以后，一定不会那样注重农业，并使农业迅速发展起来。

总之，周初的农业发展，是由于周人凭其过去之经验，更益以被征服民族之农耕方法与劳力之帮助。农业一旦定下定着的基础，以后农耕方法及技术方面之改良，乃异常迅速。同时，随农业发展而促进的工商业，亦渐形繁昌。

现在且分别叙述此古代农业社会之农业工业商业之实况。

第二节　农业

关于西周的农业状况，可就以次四点叙述：即一，农业环境；二，农业劳动工具；三，农产物；四，灌溉及治水设施。

一、农业环境

前面讲过，周代在覆没殷祚以前，其由古公亶父所奠居的岐下，土地非常肥沃，故《诗·大雅·绵》之篇，有“周原膴膴，堇荼如饴”之说。据地理考案，周在今岐山之南，古父卜止于此，“筑室于兹”，也许正因此种地带之肥沃可耕。迨文王作丰邑，武王治镐邑，其地区渐形扩大，要皆宜于耕种之地,《史记·货殖列传》有云：

> 关中自汧雍以东至河华，膏壤沃野千里。自虞夏之贡，以为上田，而公刘适邠，大王王季在岐，文王作丰，武王治镐，故其民犹有先王之遗风，好稼穑，植五谷，地重，重为邪。

迨武王诛灭商纣，奄有殷土以后，现今黄河流域之陕西河南山东诸地，皆为周代农业之地理环境。近人谓：

> 黄土成为森林之敌的特性，及其自身自行施肥的能力，使此种土壤所构成的黄河流域，比较扬子江地方，更适于成为建立于农耕上之

文化之出发点。扬子江地方诚然更加丰沃，但那种丰沃，却要求原始移居民具有他们绝对不能有的高度农业技术。[1]

由此可知土地纵然肥沃，如其那种肥沃需要较高度技术，亦不能成为古代农业的温床。黄河流域无阻碍耕作之森林，其土壤能自行施肥，而又在耕耨上适于使用幼稚的简单的农具，故恰好形成古代农业社会的发祥地。不过雨量的缺乏，和河水的溢流，那是黄河流域对于农业贡献上之“美中不足”之点。然而这种缺陷，同时却有助于古代农业社会机构的形成。我打算把这点留待本章第四节说明，这里且先考察当时的主要农业劳动工具。

二、农业劳动工具

关于西周的农具，学者间诸多参差意见，有谓当时已用铁器者。如郭沫若说：“铁的发现，论理应该是在周初，不然，那农业发达的原因，便无从说明，中国历

[1] Wittfogel著，横川次郎编译：《中国经济史研究》，第一〇四页。

史上的一个重大的社会变革的时期也无从说明了。”然而他所提出的论证，只是从《诗经 · 公刘》之篇中，找出“取厉取锻”的文句，来予以穿凿附会。而其所谓“重大的社会变革”云云，亦不过误把西周断为奴隶社会罢了。至他当心周代农业的发达，非有铁器不行，是亦过虑，因为在比较松动的黄土地带，没有铁制农具，亦还能勉强从事咧。

据《诗经》所载，周代的农具，有耒耜，有钱，有铚，有镈，有斧，有戕。耒耜为最古具，最初系削木制成。斧戕或为石器。不过以后渐与钱，镈，铚等，以金属制作。

周代最高级之金属，为青铜器。据《周礼·考工记》所说，周代之钱，镈等农具，系由青铜制成，而青铜则是以铜二锡一之比率所作成之合金。此种合金之硬度极大。在当时农业发展上，曾尽其极重要之功能。

当时耕犁尚未发明，亦不知道在农耕上使用畜力。因《诗经》及其他有关当时农作之记载，通未发现以畜力助耕之痕迹。

三、农产物

周代的主要农产物，见于《诗经》者，以黍稷为最普遍。如见于《黍稷》篇者，有“彼黍离离，彼稷之苗”；见于《楚茨》篇者有“我黍与与，我稷翼翼”；见于《信南山》篇者，有“强场翼翼，黍稷彧彧”；见于《大田》篇者有“以其黑骍，与其黍稷”……

次于黍稷者，有稻，粱，麦，菽，麻等等。如《甫田》篇：“黍稷稻粱，农夫之庆”；如《白华》篇“滮池北流，浸彼稻田”；在《七月》篇者有“禾麻菽麦”；在《南山》篇者，有“蓺麻如之何”等等。

除上述谷物以外，对于菜蔬之类，当时亦有栽培，其主要者，或为瓜瓞，如《绵》篇之“绵爪瓞”云云，盖表示此类菜蔬在当时之繁殖。而《信南山》篇之“疆场有瓜”云云，更证明此物之为人工栽殖。至《采芑》篇之“薄言采芑”之“芑”，和《蓼莪》篇之“蓼蓼者莪”之“莪”，皆为菜蔬。观“桃之夭夭”“摽有梅”等辞句，则知当时还有种种色色之果树。

四、灌溉及治水设施

周代黍稷一类农产物，虽属适应黄土性质而种植，但亦不能缺乏适当雨量，不幸在此“森林之敌”的黄土地带，又往往不免闹着旱荒，所以《诗经》常有怨叹旱灾的文句：如《云汉》篇云：

> 旱既大甚，蕴隆虫虫。……
>
> 旱既大甚，则不可推……周余黎民，靡有孑遗……
>
> 旱既大甚，则不可沮，赫赫炎炎……
>
> 旱既大甚，涤涤山川，旱魃为虐，如惔如焚……

又《大雅·召旻》篇亦有“如彼岁旱，草不溃茂……”之感慨。

惟其苦旱，故往往渴望甘霖润泽，如《大雅·信南山》篇有云：

> 上天同云，雨雪雰雰，益之以霢霂，既优

既渥，既沾既足，生我百谷。

然而“旱灾”单靠祈祷“上天”是克服不了的，于是以人工征服自然的灌溉方法产生。《白华》篇所谓“滮池北流，浸彼稻田”，虽为初步灌溉方法实施之明证。但当时的沟洫，除了灌水以外，同时还要具有排水的功能。像这样的工作，显然非由政府的力量行使不可。《信南山》篇所谓：

信彼南山，维禹甸之，畇畇原隰，曾孙田之，我疆我理，南东其亩。

兹所谓“南东其亩”，不仅顺地之宜，且系顺水之势，使之或南其亩，或东其亩。周代至幽王不修此“疆”“理”之业，时人引述禹之丰功伟业以刺之，宣王立，始命召伯疆理申伯受封之谢邑。《小雅·黍苗》篇有云：

原隰既平，泉流既清，召伯有成，王心则宁。

《诗经》注释者之比附说明，诚然不尽可靠，但灌溉治水施设，当时确为统治者之主要功课。

第三节　工业

周代之工业，可就金属工业，土器制造业及织染业三项分述。

一、金属工业

周代之农业器具，既未超出青铜器的限界，故当时之金属工业，亦只限于制造铜器及青铜器。据《周礼·考工记》所载，青铜器制作之技术，早经发达。而其所制诸青铜器，盖由铜锡两种金属，依以次所示比率而形成之合金所造成。

六种合金方法　诸器具

铜五锡一……钟，鼎，祭器，量器

铜四锡一……斧，斤

铜三锡一……戈，戟

铜二锡一……大刃，钱镈等农具之属

铜三锡二……削，杀矢

铜一锡一……鉴燧

由此可知中国在周代已早脱却纯铜器阶段。其制造青铜器，并非出于偶然，而是依照一定之意识目的，将铜锡两元素予以配合。在铜锡熔解化验之过程中，自然慢慢知道把铅，亚铅一类金属，与铜化合，驯至使铁发明出来。然而在西周时代，其金属工业，还只限于铜器与青铜器工业。

二、土器制造业

土器制造，原为一项最古工业；就是在制作铜器或青铜器过程中，亦往往有以土作成模型之必要。殷墟出土所见之土器，例为模型葬具，盖为当时代替贵重青铜器而埋诸土中者。此外，一定还有其他种种土制器具，惜未残留下来。

三、织染业

栽桑与绩麻，殆为西周时代极普遍之现象。《诗经》中关于桑麻的记载，所在皆是。而绩麻，养蚕缫丝，一类工作，似皆由妇女担任。《东门之衡》篇有云：

谷旦于差，南方之原，不绩其麻，市也婆娑。

又《葛屦》篇云：

纠纠葛屦，可以履霜，掺掺女手，可以缝裳，要之襋之，好人服之。

又《七月》篇云：

七月流火，八月萑苇，蚕月条桑，取彼斧斨，以伐远扬。猗彼女桑，七月鸣鵙，八月载绩，载玄载黄，我朱孔阳，为公子裳。

这段话不但表示当时之纺绩工作，如何进行，并说明当时已有染业存在，其染料有黄，玄，朱等色。

除以上三种工业外，如建筑房屋制造舟车一类工业，一定也具有相当规模。设将当时所有的工业生产物，综合加以类别，则有以次五类：

（一）劳动手段（包含武器猎具渔具）……耒耜，钱，镈，斧斤，大刅，（刀剑），削，戈，戟，矛，杀矢，弓，网，梁，笋，土制模型及瓦等等。

（二）布棉衣类……绵衣，麻，锦，冠，蓑，笠，履等。

（三）家庭用具……大釜，小釜，鼎，筐，筥及罍，瓶等土器。

（四）交通土段……车，舟。

（五）乐器类……琴，瑟，钟，鼓，笙，笛等。

此外，如天子诸侯之宫室建筑，装饰品以及祭器葬具等等，皆为当时之工业生产物。而老早即已发明之酒醴，当然算是一项重要的制造物。

但是周代工业品虽然如此繁多，而工业在本质上依然是属于家内工作，或农庄上之副业。纯粹之手工业，则是隶属公家，由公家直接督造经营。

第四节　交易

西周时代的商品交换，极不发达，不过殷末交换只发生于诸共同体之间，而这时则已露出个别交换之萌芽。

据《诗经·卫风·氓》篇所载："氓之蚩蚩，抱布贸丝，匪来贸丝，来即我谋……"以及《谷风》篇中之"贾用不售"云云，均因当时已有商品交换事实存在，故得见之于歌谣。不但此也，像此类语气中所表现之交易，显系行于个人之间，与以前仅行于诸共同体间者有别。特其交换之规模，极其有限罢了。

至交换所持的手段，当时似还止于布贝之属。《汉书·食货志》中虽有"凡金钱布帛之用，夏殷以前，其详靡记"云云，其实夏殷乃至西周使用金钱之事实，亦无法由已存之载籍发现。而上述"抱布贸丝"之句，更表明西周还系用布作为交换手段。不过当时除布以外还有"朋""贝"之类，《小雅·菁菁者莪》篇有云："既见君子，锡我百朋。"其注释谓：

> 古者货贝，五贝为朋，锡我百朋者，见之而喜，如得重货之多也。

此说与《易经》中所谓“丧亿贝”及“西南得朋，东北丧朋”之语，可互释明。足征“贝”“朋”均为当时作为交换手段之具。特“布”“贝”虽然行着货币的职能，西周的交易，大体尚未脱“物物交易”阶段，从而其交易的规模与频繁程度，亦是颇不足观的。

第二章　田制与税法

第一节　序说

周代的农业状况，前面已述其梗概了。但在那种叙述当中，我们没有触及当时的田制，以及在那种田制下活动的农耕者对于统治阶层所负的义务。换言之，就是我们还没有把周代那种未成熟的初期封建制度所由建立的经济结构表述出来。

关于中国古代社会经济结构之史料，极其缺乏。而仅存的记载，又多出自传说臆造，以致同一问题，因学者研究方法不同，往往达出极其不同的结论。

例如为周代田制核心之所谓井田制，就曾由中外学者研究出种种答案，而其立于正相反对地位者，则为绝对拥护井田制，与完全否认井田制。但我们如注意周代紧承殷末氏族共同体制之事实，则知如《周礼》所传的理想化的计划化的井田制，固不会存在，但同时却也不能抹煞中国原始农业共同体制之残骸。

道地的原始农业共同体，是不能成为未成熟的初期封建制度之基础的。此种共同体在作为初期封建制度基础出现的时候，曾经再组织过，即曾附加以农奴的关系，但虽然如此，它同时却还多分保存其本来的姿态，并由此直接转化为井田，及依井田制关系所形成的所谓助法。

助法是一种力租制，即借着井田中之公田，以征取徭役劳动，而结成农奴的封建关系。

至助法的实相，及周代推行井田助法的究竟，我们还只好参考《诗经》与《孟子》的记载，这种记载诚然太费我们推敲，但至少总可给予我们以近似的暗示。

第二节　由《诗经》所见的田制

《诗经》关于古代的田制，可由以次诸篇而见其一麟半爪。

一、《小雅·信南山》篇："信彼南山，维禹甸之，畇畇原隰，曾孙田之，我疆我理，南东其亩。"

这所谓"我疆我理，南东其亩"，至多只能说是顺地之宜，顺水之势，或南其亩，或东其亩，我们无从由此发现井田制之痕迹。

二、《小雅·大田》篇："有渰凄凄，兴雨祁祁，雨我公田，遂及我私。"

这里"雨我公田，遂及我私"之句，在否认井田制度的学者，虽然把"公田"解作是"君主的土地"，把"私田"解作是"人民的土地"，而力言其与井田无关。但距离西周不久的孟子，却于引述"诗云雨我公田，遂及我私"之后，紧接上"惟助为有公田；由以观之，虽周亦助也"的文句。可见"公田""私田"与所谓"井田"无关之说，亦殊难令人完全置信。

三、《大雅·公刘》篇："度其隰原，彻田为粮。"

"彻田为粮"之句，一般依孟子所言之"彻"法关联而下解释，以为其上句"度其隰原"，系测度湿地原野，行井田之区划，然后再依"彻法"，以征取公家粮米。此说在文理上颇费解，将"彻"字，解作"治"或"垦治"，则甚明了。又,《大雅 · 崧高》篇所谓“王命召伯,彻申伯土疆”之“彻”,以及《江汉》篇“彻我疆土”之“彻”,与这里“彻田为粮”之“彻”,义正相同。吾人即认井田制之存在,亦不必强把这里的“彻”字,解作井田制上所行的税法。

除上述三处外,诗经中关于当时耕田的情况,还有以次的几项记载。

四、《周颂 · 载芟》篇:“载芟载柞,其耕泽泽。千耦其耘,徂隰徂畛,侯主侯伯,侯亚侯旅,侯疆侯以,有嗿其馌,思媚其妇,有依其士,有略其耜,俶载南亩。”

这所描述的,是当时农民共同耕作的情景,吾人虽不能由此认知其田制之实相,但至少总可仿佛窥见原始农业共同体之姿态。

五、《周颂 · 噫嘻》篇:“噫嘻成王,既昭假尔。率时农夫,播种百谷。骏发尔私,终三十里。亦服尔耕,十千维耦。”

这篇的注释,谓系成王始置田官,戒其率农夫播种百谷,大发其私田。而“终三十里”,“十千维耦”云云,则不外大家齐心努力之谓。

总之，《诗经》所给予我们关于古代田制之暗示，大体只限于上述各点。我们由此所能仿佛确言者：

第一，尚能保存有原初共同耕作的姿态；

第二，有依“公田”“私田”所暗示的井田制的痕迹。

第三节　由孟子所见的税法

《孟子》所载，为孟轲自己之言论。他的生存年代，大约在西元前三七二——二八四年。以时计之，他距西周初期数百年，距殷朝末年（约当西元前一一二二年）几八百年，然而他却很详细的谈到殷周以前许久许久的田税制度。他曾对当时请教他的滕文公说：

> 夏后氏五十而贡，殷人七十而助，周人百亩而彻，其实皆什一也。彻者彻也，助者借也。龙子曰，治地莫善于助，莫不善于贡，……夫世禄滕固行之矣。诗云，“雨我公田，遂及我私”，惟助为有公田，由此观之，虽周亦助也。

孟轲讲这段话，引了两个出典：一是“龙子曰”，一是“诗云”。可见当时社会流行有此种传说。现在，且就贡法，助法，彻法，分别予以说明。

一、贡法

如其就一般的假定，说夏王朝在西元前二二〇五年至一六七七年，那距文字形成的殷末，已经颇久，到孟轲时代，更是代远年湮了。孟轲时代即令有一种传说，说夏朝有称为“贡”的田赋存在，那亦不能信为事实；况殷末还是由游牧移向农业的过渡期，我们断然不能说更原始的夏代（即令有这个朝代的话），竟有一种与较高度农业有关的田赋制度存在。《孟子》中所引述龙子之所谓“夏后五十而贡”，想系误解《尚书 · 禹贡》中所述及之“贡”。那种原始“贡”法，与田赋或地租无关，至多只是征服种族对被征服种族所要索之土产或手工品等。

二、助法

孟轲关于“助”之解释，是“助者借也”，“惟助为有公田”。

当滕文公使毕战问井地的时候，孟轲复有关于“助”及“公田”之说明。他说：

> ……夫仁政必自经界始。经界不正，井地不均，谷禄不平。是故暴君污吏必慢其经界。经界既正，分田制禄可坐而定也。夫滕壤地褊小，将为君子焉，将为野人焉。无君子莫治野人，无野人莫养君子。请野九一而助，国中什一使自赋，卿以下必有圭田，圭田五十亩，余夫二十五亩，死徙无出乡，乡田同井，出入相友，守望相助，疾病相扶持，则百姓亲睦。方田而井，井九百亩，其中为公田，八家皆私百亩，同养公田，公事毕，然后敢治私事，所以别野人也。

我们就这段话，可以把孟轲关于“助”法的说明，作一引申的解释：

（一）“惟助为有公田”，盖以公田的保留，惟有助法能行；也可说，助法要以公田的保留为前提。

（二）“助者借也”，盖以保留下的公田，非借民力耕作不可。所以助法是一种封建徭役劳动形式的力租制。

助法要有公田，要借助民力，于是就引出井田问题。因为孟轲明明说：“方田为井，井九百亩，其中为公田，八家皆私百亩，同养公田。”是公田为土地区划为井字形之中心部分。《孟子》中虽仅说及井地，而未言井田，但《春秋谷梁传》中所谓“三百步为里，名为井田，井田九百亩，公田居一”云云，不过是孟轲那段话的译解罢了。

三、彻法

在前引述的孟轲的文句中，他关于周代的税法，似乎说得非常含混，他一面说：

> 夏后氏五十而贡，殷人七十而助，周人百亩而彻。其实皆什一也。彻者彻也，助者借也。

这说明三代取诸民者虽皆什一，其土地之区划，显然不同。但同时他又说：

> 诗云“雨我公田，遂及我私”，惟助为有公田，由此观之，虽周亦助也。

“惟助为有公田”，诗歌中既有“雨我公田”之说，故孟轲氏乃言“虽周亦助也”。然则“周人百亩而彻”之“彻”又将如何解释。以意度之，或者周初已宣布一种彻法，但在实际上，一般还系沿照殷代旧法，所以孟轲依照当时的传说，及去古未久之实况，而断言“虽周亦助也”。“彻”法既是一种未切实实行的制度，孟轲氏所以只就当时通行的“助”法发挥，而把“彻”一笔略过不提，我们今日更自没有予以探究之必要了。

不过，关于周代这种与公田，从而更与井田制相关联的“助”法，无论有怎样丰富确凿的史料可资参考，它在当时究曾确实施行到什么程度，却颇是疑问。把所有的耕地，都按照“方田为井，井九百亩”的规定，来予以区划配分，那究不是当时人力物力所能许可的。大体上，我们对《孟子》关于田赋制度的记载，只能作这样的近似推测：

第一，助法是一种力租制，在殷末氏族共同体解体过程中，那些由共同体中渐渐形成的特权支配阶层，或者向其被支配的诸共同体，要求划出一定的地区，作为他们的特有地，同时并要求那些被支配者为他们耕种这特有地：在先，这种特有地，也许无一定的限界，以后或者为事实上的要求，渐渐有所规制。所谓助法，井田也者，要不过这种规制的结果。

第二，周代的文化水准较殷为高，它对于殷代那种行过漠然规制的田制与税法，当然会依它自己的实际要求，加以比较明确的规定。所以由农业共同体中转化过来的公田力租制，虽然在殷末已发其端，但毕竟是到周代才形成确定的形态。

第三，然而周代无论如何进步，它对于那种公田力租制的推行，决不会像文人“笔下生花”的那样，把全国土地都区划配分，并都依照什分取一的比率征取租税。在某一个时期，某一个地方，或者有过“方田为井，井九百亩”的实例，但无论如何不会普遍，且也不会较长期的维持下去。可是井田助法推行的范围与程度，即使与《孟子》中所描述者，大相径庭，但有一件确然不动的事实，就是周代曾依强制农民耕作公田的形式，推行封建榨取的力租制，至公田是否依照“方田为井”的形式区划出来，或者，公田的面积，是否与私田成一与九之比率，那都与这种封建榨取性质，无何等本质的关系。

本来关于周代的田制与税法,《周礼》所述，比《孟子》还要详尽还要条理而整秩。但一种愈带理想的考案，就愈缺乏历史的现实的价值。有人说《周礼》为王莽时代之伪作，那虽还有待于今后之充分考证，然吾人不能依《周礼》而说明周代的田制，那已是毫无疑问的。

第三章　初期封建制度

第一节　序说

这里所谓初期的封建制度，乃系别于此后官僚主义的封建制度而言。

这种封建制度的特质，可由其所由建立的经济基础而得到说明。前面讲过，周代封建制的基础，是把原初农业共同体，或殷末所遗留下的氏族共同体，予以再组织，附加以农奴的关系。周代所行的井田、助法，虽然是较确定的由其所支配的诸共同体，区划出属于支配阶层的公田，但其余与公田相区别的私田，即“各家皆私百亩的私田”，大体上还算是由村落共同体共有，不过，此种共有局面，当时已随氏族血缘纽带的松懈，而渐形分解。我们可以由此联想到欧洲中世的情形。

封建时代经济的基础，是在共同体内的农业生产及手工业的生产。……居住早已是在一定的地域内，营着定住的生活。

因劳动生产的发展，共同体就逐渐扩张，至于包含好几千住民。

在共同体内对抗氏族的家族，已成为一个单位，农业即由这些家族行着个别的集约的农耕。

不过结合共同体内家族全体的纽带还残留着——共同牧场，共有森林等，就是空地使用权，在某种程度上，都还是在共同体管辖之下。

西周的封建制，大体上可以说是建立在与这大同小异的经济基础之上。

不过，我们在这里应注意一点，就是西周封建制之经济基础，虽然是由殷末农业共同体改装或再组织的结果，但我们不要忽略以次两种事实，第一，那种改装或再组织的活动，在殷末已经露出萌芽；第二，周族在殷末亦有它自己的农业共同体，而它这种共同体的再组织的活动或强附以封建关系的活动，亦不是始于灭殷之后。前者且不必说。关于后者，可由武王伐纣当时的军容与其统治机构而得到说明。《尚书·牧誓》云：

> 王曰：嗟我友邦冢君，御事，司徒，司马，司空，亚旅，师氏，千夫长，百夫长，及庸，蜀，羌，髳，微，卢，彭，濮人！

这所谓庸，蜀，羌，髳等，当然是那些为周人所征服的氏族，而“御事”“司徒”“司马”“司空”一流官员，纵然不像后来那样神气，但他们毕竟是属于统治阶层，且需要当时所谓“庶人”“小人”供养。从而，封建剥削的关系，一定是老早就有端倪的，特其正规的形成一种制度，那却是灭殷以后的事。

至周代的封建社会组织，可就两方面考察：一是封建国家机构，一是宗法家族制。分述如次。

第二节　封建国家机构

依照传说：武王伐纣灭商而建周室时，计有二千八百国——即二千八百个或大或小的村落共同体——，就中，武王兄弟之国十五；支配者氏族，即称为姬姓的同姓之国四十，其余则为异姓国。这些国家爵有五品，位有三等。公侯百里，伯七十里，子男五十里。未满五十里者为附庸。后来此二千八百国互相吞并，在春秋之世，已大形激减；见于经传者，不过一百六十五国。其中且含有蛮夷戎狄之邦。但当时姬姓之国，仍占有四分之一。

这是周代封建国家的大体轮廓，现在且分述其内部一般机构。

一、阶级组织

据《左传·桓公二年》之记载：

> 天子建国，诸侯立家，卿置侧室，大夫有贰室，士有隶子弟，庶人工商，各有分亲，皆有等意。

《左传·昭公七年》楚芋尹无宇曰：

> 天子经界，诸侯正封，古之制也……天有十日，人有十等，下所以事上，上所以共神也。故王臣公，公臣大夫，大夫臣士，士臣皂，皂臣隶，隶臣僚，僚臣仆，仆臣台，马有圉，牛有牧，以待百事。

这类记载，以及有关当时阶级组织的一切传说，彼此都有大同小异的地方，但都可供我们的参证。从大体上看来，当时显然对立是两个阶层。一是称为“大人”，“君子”，“大家”，“巨室”的支配者阶层，一是称为“小人”，“邑人”，“群黎”，“黎民”，“庶民”，“众人”“农夫”的被支配者阶层。构成此被支配者阶层的主要部分，就是农奴。其余则是所谓臣仆，臣妾，童仆，刑人（即割鼻断足黥面而化为奴隶者）等等。这些最下层的奴隶，本质上都是从事家内劳动，就中不过有极小一部分参加牧畜工作。

二、土地分割

周代封建制度下之土地分割情形，就在去当时未远的孟轲，亦言不知其详。时人北宫锜以“周室班爵禄”的制度问他，他回答说：

> 其详不可得而闻也。诸侯恶其害于己也，而皆去其籍，然而轲也常闻其略也。天子一位，公一位，侯一位，子男同一位，凡五等也；君一位，卿一位，大夫一位，上士一位，中士一位，下士一位，凡六等。天子之地方千里，公侯之地方百里，伯七十里，子男五十里，凡四等，不能五十里，不达于天子，附于诸侯曰附庸……耕者之所获，一夫百亩。百亩之粪，上农夫食九人，上次食八人，中食七人，中次食六人，下食五人，庶人在官者，其禄以是为差。

孟轲氏“常闻其略”如此；他这种说明，参加了他自己多少意见，且不用管；周代在建国以后不久，一定班过爵禄，分割过土地。《诗经 · 鲁颂 · 閟宫》篇云：

> 乃命鲁公，俾侯于东，锡之山川，土田附庸。

国语亦谓：

> 公食贡，大夫食邑，士食田，庶人食力。

要之，周代对于土地，确行过封建的分割，若其推行的范围与程度，则是“其详不可得而闻也”。

三、农奴的封建义务

周代支配阶级苛加于农奴的义务，约有两大部类，其一为力租（包括徭役劳动），其一为贡租。属于力租者有以次诸项：

（一）在推行井田、助法之限内，对于公田之劳作。

（二）临时或非常时征发劳力，以从事大土木工事，营造宫殿园林或筑城等，可参照《诗 · 大雅 · 文王》篇，《小雅 · 出车》篇。

（三）每年十月收获终了时，从事宫殿之修理，见《诗经·豳风·七月》篇。

（四）每年十二月参加练习战争所行的大规模的狩猎，见《豳风·七月》篇。

（五）实际战争时的征发，《诗经·邶风·击鼓》篇，《唐风·鸨羽》篇，《豳风·破斧》篇，《豳风·东山》篇，以及《书经·周书》大诰篇等皆可说明此点。

力租之概况如上，贡租亦有种种：

（一）由彻法指定的实物地租——照前面所说，周代大体系行井田助法，彻法虽或颁定而未通行，但也许渐渐有实行的地方。

（二）每年七月，以农女绩布染色制成的衣裳，献纳于公子，见《豳风·七月》篇。

（三）每年十一月各自外出猎取狐狸，制裘献上公子，见同《七月》篇。

（四）每年二月，天子祭神的时候，贡上羔与韭之类，见同篇。

（五）每年十月，一切收获一经终了，立即制好旨酒，以酒二尊，外加羔羊，“跻彼公堂”，见同篇。

四、防卫设施

支配阶级既课有农奴这种种封建义务，当然不免要引起农民的反感。事实上农民对统治阶级的憎恶，由《魏风·伐檀》之诗，尖锐表现出来：

> 不稼不穑，胡取禾三百廛兮：不狩不猎，胡瞻尔庭有县貆兮，彼君子兮，不素餐兮。

由这种憎恶所导来的事态，要就是散而之四方，不然，就是起来反抗。《魏风·硕鼠》篇之所谓：

“……逝将去汝，适彼乐土，乐土乐土，爰得我所。”以及《小雅·黄鸟》篇之所谓：

“……此邦之人，不可与处；言旋言归，复我诸父。”

但是，他们逃亡的打算，究不易实行，《小雅·小明》篇之所谓“岂不怀归，畏此罪罟”。盖表明支配阶级已有禁阻他们的安排。事实上，周代对于农民一切不安本分的行动，都定有最残酷的刑法。观《诗经·小雅·小宛》篇所云：“哀我填寡，宜岸宜狱”。可见当时已有牢狱。罪人有供祭祀牺牲者，有没为官家奴隶者，而墨，劓，刵，宫，辟等五刑，更为中国古典的“杰作”。然依据《吕刑》，——相传为周穆王命吕侯制定——“五刑之属三千”，亦可见当时法网之繁密。

此外，济刑罚之穷的，还有村落方面之比邻闾里的组织，且还对农民贯注了种种敬天知命的意识，但稳定初期封建机构最有效的法度，却是参组在封建体制里面的宗法组织。

第三节　宗法组织

所谓宗法组织，就是周代由氏族制度过渡到封建制度当中，所产生的一种血属的社会统制组织。

我们知道，周代的幼稚封建体制里面，还保存下了不少的氏族制度的成分。最原始的氏族制度，原系以母系为中心，后来因为经济上的作业关系氏族的中心，移转到父系了。父系氏族制向着家族分解的过程中，相因而产生了父系家长制家族。中国在殷商之世，虽已确立了父系氏族制，但父系家长制，却是发端于周代，因“嫡庶长幼贵贱之制，商无有也”[1]。

氏族原是“由一个祖先繁殖的后裔子孙形成的相互间有联系的社会集团”[2]。周代一方面把这种血属联系保存下来，一方面更在这种血属关系中，配列上以父系家长制为核心的嫡庶长幼贵贱的机能，而形成所谓宗法组织。近人曾謇说得好：

> 当氏族过渡到家族而分封子弟的时候，被封的子弟，获得了财产的私有权，于是他就成为别子，而对后世为始祖了。他的身份和财产，以他的嫡长子承继，遂成为所谓继别为宗的大宗，由是继祢则为小宗，小宗的宗族，如以同高祖的为范围，则同高祖的以高祖的嫡长子孙为长，同曾祖的以曾祖的嫡长子孙为长，同祖的以祖的嫡长子孙为长，同父的则以弟而长兄，就成为宗法的基本体系了。
>
> 别子虽然因为土地财产私有权利对后世而

[1] 见王静安：《古史新证殷周制度论》。

[2] 见库斯聂著，高素明译：《社会形式发展史大纲》第二二二页。

为始祖，但他对于他那个分封的最大共体中的最大之宗，仍有宗宗之道，譬如君有昆弟，以此昆弟分封，则此因分封而获得土地财产的昆弟，对后世固为始祖而演成一大宗体系，然就对君而言，彼所演成的大宗，实有宗事所谓君统的那个最大之宗的关系。故所谓君统，实际就是从氏族盟长的身份，转化到家族时所形成的最初最大的大宗，而最大宗因为分封同姓子弟的原故，又统多数的大宗。这样的关系，就是周室宗主权之所以建立，……金文与典籍中之所以常称宗周者，就是由于这种宗法关系而来。[1]

这段话，对于宗法组织的由来及其基本概念，都有极透辟的说明。他认定宗法组织，是发因于周代的分封，而这种组织在本质上，则是一种支配者阶级之血属的社会统制组织。

[1] 见曾謇:《殷周之际的农业的发达与宗法社会的产生》(《食货》第二卷第二期)。

本来照《礼记·曲礼》所谓“礼不下庶人”的明文，宗法原系封建贵族之亲属系统，但一国在某一时代之支配者阶级的制度，习惯与观念，往往总会在不同的程度上，通行到一般被支配的社会阶层。我们试就宗法组织之社会职能来观察吧。

宗法的社会职能，有以次各项：

（一）宗庙，祖庙，祢庙的祭祠。

（二）一年中族中行若干次共同飨晏。

（三）服丧——死者亲族为对于死者表示哀悼，在一定期间内，依其亲疏之差，着用规定之丧服。

（四）同宗不婚。

上面这种种由宗法组织产生的法制与惯行，首先是行于支配阶级之间，以后则一般普及于民间。不但此也，宗法组织的最主要特征，就是父系家长制。在父系家长制下，又可分：

（一）家长对于家族中全体人员，有生杀予夺之权，家长所属的人员，俨同家内奴隶。

（二）家长乃至其他男子，可以过着一夫多妻的生活。士以上，必以妻妾并置为原则，至于贵族，甚且负有多置妻妾的义务。

（三）嫡长子相续，亦为中国家长制之一特色，所谓“立嫡以长不以贤”者是也。嫡长子以外之男子，无论为妻出，为妾出，通称为庶子。

上述三种礼法，大体亦系行于支配阶级之间；一夫多妻与嫡长相续两种现象，在一般平民之间，虽然不甚显著，但父权无上大，和重男轻女之事实，则极其普遍。从“孝”字演绎出的种种礼法，无非都是“父权无上大”的注脚；而《诗经 · 小雅 · 斯干》篇所谓：

> 乃生男子，载寝之床，载衣之裳，载弄之璋，……乃生女子，载寝之地，载衣之裼，载弄之瓦……

这正是一夫多妻，“七出之条”，乃至其他男女不平等的规制与积习所导出来的无可奈何的不平之鸣。

然而所有宗法组织所直接产生或派生的一切礼法，一切不平等的惯行，以及伴随此种礼法惯行而造成的诸般意识形态，都于支配阶级有莫大的利益，换言之，即都有助于封建统治的稳定。

但完密的法制也好，带有魔术性的意识也好，都阻止不住社会动力之劳动生产力的变革：就因此故，周代这种幼稚的未成熟的封建机构，一到春秋战国之世，就因劳动生产力的增进，而根本发生破坏与动摇。

第四章　过渡的春秋战国时期

第一节　序说

前面讲过，周代幼稚的未成熟的封建体制里面，保存了不少原初农业共同体的姿态。社会生产力发达的结果，这些共同体必然会发生两种倾向：一是各共同体渐由氏族纽带分解而为家族，一是比较强的大的共同体村落，对于较小的较弱的共同体村落，行使侵夺与兼并。所以周初分封的二千八百国，至春秋时代已只剩下一百六十余国。在这所谓二千八百国中，原先虽有最大一部分是就既经存在的或大或小的共同体村落，予以封建的名号与编制，但经过“强凌弱”“众暴寡”的淘汰兼并以后，许多国家已经树立了它们自己的统治规模。

本来周初那种封建机构，是适应当时那种经济基础的产物。其经济基础既不绝因劳动生产力的增进而发生变化，上层机构当然不免发生动摇。“宗周”日益式微，诸侯日益强大。虽然“窃国者侯，侯之门仁义存”，但王纲不振，宗法组织失其约束作用，于是臣弑其君，子弑其父的所谓犯上作乱事体，简直成了一时的风气。在春秋之世，有野心的诸侯们（如齐桓晋文之流），虽然还提出“尊王攘夷”的口号，以资号召，延及战国王，室已早变为一个微弱得可怜的附庸。

这些表现于上层机构中的变动事实，说明了那种机构是如何不适于其逐渐变化的下层经济基础。我们如其说，西周的未成熟的封建制度，只是对于此后发端于秦汉之际的官僚主义的中央集权的封建制度，做了一些预备工作，那春秋战国之世，就恰好是由前一封建形态，演化到后一封建形态的过渡期。而这过渡期的社会经济状况，则是如以次诸节所说的那样。

第二节　农业生产的发达

这个过渡时期的农业发达，以铁器发明为其最有力的推进力。但灌溉施肥以及其他方面，皆有极大进步，现在分别述其梗概。

一、铁制农具的使用

铜器与青铜器的硬度与作用，是不够完全驱逐石器的，从而在铜器参杂着石器的阶段，决不能期望农业有怎样飞跃的发达。迨铁器发明，情形乃为之丕变。

中国铁器的发明时期，学者殊多不同的见解，但以春秋乃至战国时为铁器之黎明期，那是谁都难于否认的。据《管子》：铁在春秋时代，已为各国制成工艺农业等等器具，且设有铁官。其中有云：

> 今铁官之数曰："一女必有一针一刀，若其事立；耕者必有一耒一耜一铫，若其事立；行服连轺輂者，必有一斤一锯一锥一凿，若其事立。不尔而成事者，天下无有令针之加重一也。三寸针，一人之籍。刀之重加六，五六三十，五刀一人之籍也。耜铁之重加七，三耜铁，一人之籍也。其余轻重皆准此而行。"

又云：

> 一农之事，必有一耜，一铫，一镰，一耨，一椎，一铚，然后成为农……请以令断山木，鼓山铁，是可以田籍而用足。

《管子》一书的真伪与时代问题，迄今尚为疑案；在春秋时代，即以铁制农具及一切工艺器具，且特别设置铁官，此为事实所不许。因铁由发明以至于普遍使用，其间必须经历相当岁月，春秋时代以前之载籍，既不能发现“铁”之痕迹，在春秋之世，竟突然普遍用起铁来，实为不可能之事，大体上，铁系发明于春秋时代，而其应用为农具及其器具，则在战国之世。关于铁剑之起源，《吴越春秋》所记如次：

> 干将作剑，采五山之铁精，六合之精英，……天气下降，而金铁之精不稍沦流。
>
> ……于是干将妻乃断发剪爪，投之炉中，使童男童女三百人鼓橐装炭，金铁乃濡，遂以

成剑。

而《越绝书·外传宝剑记》所述，则是：

欧冶子干将作茨山，泄其溪，取铁英，作为铁剑三枚。

铁之最初发明，想系因为制造兵器的需要。以后则渐渐应用到农具等方面。《孟子》所载“以铁耕乎”，足见战国当时已用铁为农具。铁之用途普遍，于是反映在战国时代诸载籍中者亦多；如《荀子》，《韩非子》《墨子》等书，皆载有关于铁之记事。同时因铁之需要增加，以铁致富者，遂大有人在。《史记·货殖列传》所谓“邯郸郭纵以铁冶成业，与王者埒富”，《汉书·食货志》所谓“秦用商鞅之法，……田租口赋盐铁之利，二十倍于古。”凡此等等，均可说明铁在战国时代的决定地位。而铁制农具给予当时农业发达上的影响，那当然是非常显著的。

二、一般农业技术的改进

铁之发明，不但农具本身改良，使用农具的方法，亦相因进步。在西周时代，使用畜力耕作的事，还无所见。《诗经》只有相并曳引耒耜的“耦耕”存在。降及春秋之世，孔子曾说“犁牛之子，骍且角”，可见当时已应用畜力。《孟子·梁惠王章》之所谓“深耕易耨”，更证明畜力耕作之实效。其后李悝相魏文侯（西元前四二五——前三八七年）作“尽地力之教”，“以为地方百里，提封九万顷，除山泽邑居，三分去一，为田六百万亩，治田勤谨，亩益三升，不勤则损亦如之。地方百里之增减，辄为粟八百万石矣”。兹所谓三升，经后之学者论证为三斗之误，即百亩共增三十石；设“治田百亩，岁收亩一石半，为粟百五十石”，则治田勤谨，所益之三十石，对百五十石为五分之一；劳动生产力如此增加，当非依靠进步之农具，以尽地之力不行。但我们要知道当时对于施肥方法，已经发明；因为“粪其田”而又予以“深耕”，故旧来称为“莱”之休耕地，或者已经有一部分变为常耕田。这是“治田勤谨”的一个附带条件。

三、农田水利

因为农业技术改进，稻作渐行普遍，对于灌溉及治水之设施，乃益关重要。据《史记 · 河渠书》所载，自夏禹治水之后，以河南为中心之宋，郑，陈，蔡，曹，卫诸国，皆曾治水；楚对汉水，扬子江，淮水；吴对南江北江中江太湖；齐对淄水济水，皆曾作过疏导的努力；魏文侯以西门豹有邺令，引漳水以灌邺田；蜀守李冰凿离碓，辟沫水之害，穿二水成都之中，其“渠皆可行舟，有余，则用溉浸，百姓飨其利；至于所过，往往引其水，益用灌田畴之渠，以万亿计”。此外，韩秦之间，且以外交关系，造成有名的郑国渠。太史公在《河渠》中曾有趣的叙游这一段故事说：

> ……韩闻秦之好兴事，欲罢之，毋令东伐，乃使水工郑国，间说秦，令凿泾水，自中山西邸瓠口为渠，并北山，东注洛。三百余里，欲以灌田。中作而觉，秦欲杀郑国。郑国曰，始臣为间，然渠成，亦秦之利也。秦以为然，卒使就渠，渠就用注填阏之水，

灌泽卤之地，四万余顷。收皆亩一钟。于是关中为沃野，无凶年，秦以富强，卒并诸侯，因命曰郑国渠。

这段话第一表明当时治水事业的普遍，如像韩国，且有专门治水的水工；其次说明治水溉田，于当时农业有何等重要的关系。

第三节　工商业的发展

农业发达，工商业必然受到莫大的刺激。兹先就工业说吧。

一、工业

铁之发明，不但于农业为一推进力，对于工业，尤有莫大变革作用。采铁或制铁本身，已为一大制造业；将冶炼之铁，制为农具兵器以及其他日常应用之器具方面，于是工业之范围扩增，以前附属于农家家内工作的幼稚工业活动，至是乃逐渐形成一独立部门；《管子》

书中所谓“一农之事，必有一耜，一铫，一镰，一耨，一椎，一铚，然后成为农；一车必有一斤，一锯，一扛，一钻，一凿，一铽，一轲，然后成为车；一女必有一刀一锥，一箴，一铽，然后成为女；……”正表明农，工，妇女，因铁之发明，而各有特殊用途之生产器具，而同时这些生产器具的制作，又非有专司其事者不可。《管子》这部书的真伪，虽然还是未决之疑案，但其书中所载事实，大体可以说是就战国时代立论。

《孟子》中所谓“百工居市，以成其事”，足征战国当时一般工业之发达。当时有许行其人，主张与民并耕而食，瓮飧而治，孟轲即以许子不能自为冠，自为农具，自为其他一切日常用品，而讥其主义不能彻底，并责其不知分工之利益。

但当时工业之主要部门，除冶铁外，当以制盐为最关重要。此事在《管子》中多所说明；战国时代的陶朱猗顿辈之致富，都与制盐有关。

二、商业

独立的商业资本之产生，亦系由春秋时代发其端绪，至战国乃颇具规模。陶朱猗顿之富，即为商人资本的适例。中国自来养生送死之具，如陇蜀之丹漆旄羽，荆扬之皮革骨象，江南之柟梓竹箭，燕齐之鱼盐旃裘，兖豫之漆丝絺纻，都因自然环境之限制，而有待于工以成之，商以通之。但以前各共同体村落因交通的阻滞，血族纽带之束缚，彼此都生息于简陋的自给自足自然状态下，即有交换，不过偶然发于诸共同体间而已。迨后兼并之局成，血族之缚解，于是并合于一大国家中之无数共同体村落间，乃渐形成频繁之交换。此交换局面最初还限于生产者直接交易，此后因生产渐带有商品性质，于是商人阶级乃渐发生。

春秋特别是战国时代，盐铁为最重要的商品，时君因有利可图，对于此两大商品特别注意。有的甚且视为国家专利。所谓“秦用商鞅之法，……盐铁之利二十倍于古”，即其一例。除盐铁外，丝，谷，漆，帛之类，亦为商人逐利之对象物。《史记·货殖列传》有云：

白圭乐观时变，故人弃我取，人取我与：夫岁孰，取谷，予之丝漆玺；凶，取帛絮，与之食。

商业发达，商人势力必因而抬头。孔子弟子端木赐因经商致富，列国君主都以上宾之礼待之，且为鲁卫之宰相。战国时范蠡佐越王勾践成霸业而弃官从事工商业，积为巨富，名倾天下。此后河南翟阳大贾吕不韦亦因其财力富厚，结托王公，终至左右秦国之政权。

工商业发达，于是百业大贾都汇集于交通较发达，及官僚势力所集中的地方，而形成了都市。当时都市最著名者，河南为大梁，陕西为咸阳，直隶为邯郸，山东为临淄。据传，临淄一城的人口，计达七万户。

三、货币

在商业发达过程中，为交换媒介的工具，当然不能不变更其性质与形态。西周因社会由各共同体村落间所行的偶然交易，有朋贝布帛之属，固可勉尽货币的职能。但此后交换频繁，始渐有正规货币的要求。历史上关于铸币之最初记录，乃见于周景王二十一年（约在西元前第六世纪终）所谓：

轻钱为患，更铸大钱。径一寸二分，重十二铢。

在春秋战国时代，金币（钱）已被视为富之绝对形态，但在普通人民之间，依旧流行着布帛之属。

第四节　税制及一般农民生计状况

周初由原始农业共同体转化为井田助法，虽然在实行上无法求其普遍，但耕作者对于支配阶级所尽的封建义务，大体是由耕作公田的形式，而提供力租。而他们每人使用的土地，大约在百亩左右。

但这种力租制，后来逐渐改为物租制，据史籍所载，此端系开于鲁宣公所行之亩税。《前汉书·食货志》云：

周室既衰，暴君污吏，慢其经界，徭役横作。政令不信，上下相诈，公田不治，故鲁宣公初税亩，《春秋》讥焉。

对于这所谓“税亩”，普通有三种解释；（一）力租田即公田照样保存，更对私田课十一之税；（二）公田已经废弃，至是始废亩而定其税率；（三）宣公因人民不肯尽力于公田，乃将公田废弃，将力租改作物纳地租。此三说之中，以后两说为近似，但吾人不能断言公田系至鲁宣公始予以废弃，亦不能遽谓当时已完全废弃，观上面“慢其经界”云云，是公田至鲁宣公当时，已经在弛废过程中，宣公不过依已成的趋势，加以有利于己之变革而已。

特鲁宣公开端以后，各国都相率施行履亩定率之税，特其税法不一定是依照同一形式，或则将公田之形式保留，但其相同之点，即是加增于农民之剥削。因为农具及生产方法改良，生产力渐形增加，以前的休耕田，多半变为常耕田，于是国家乃以实行税亩为有利；同时贵族领主们因为奢侈需要增大，亦非打破公田的限制，以增加地租收入不可。孟轲氏在战国时代虽昌言复兴井田、助法，那不但为事势所不许，且亦为当时统治阶级所不欲。所以他的大好理想，就在“壤地褊小”的滕国，亦没有得到实行的机会。

本来由徭役力租制演化到物纳地租制，那是耕作者对于领主之隶属关系的一种缓和。然而国王领主们之企图，却是想由此实行进一步的剥削。孟轲氏关于当时一般农民的生计，曾谓："百亩之田，勿失其时，数口之家可以无饥矣。"但据魏国名臣李悝的推算：

> 今一夫挟五口，治田百亩，岁收亩一石半，为粟百五十石。除十一之税十五石，余百三十五石。人月食一石半，五人终岁为九十石。余有四十五石。石三十，为钱千三百五十，除社闾尝新春秋之祠，用钱三百，余千五十。衣，人率用钱三百，五人终用钱千五百，不足四百五十。不幸疾病死丧之费及上赋敛，又未与此，此农夫所以常困，有不劝耕之心。……（《前汉书·食货志上》）

照此推算，农民在收获平常年度，不夺其农时，不行额外的横征暴敛，已只有饭吃而无衣穿，更无从筹措疾病死丧之非常开支。然在战国之世，战争是不断发生的。夺民农时，与横征暴敛之举，早已是司空见惯。所以不遇荒年，农民亦不免老弱者转乎沟壑，壮者散而之四方。若当“凶年饥岁”，其惨状当更不可闻问。“农民所以常困”，可见一斑也。

第四编

官僚主义封建制度的成立时代

第一章　古代集权国家之成立

第一节　序说

周代幼稚的未成熟的封建制度的经济基础，在春秋时代以前，已经在开始分解；不过对于那种基础予以决定的摧毁打击的，却是战国时代的铁器的普遍应用，与农业劳动生产力的发展。

农业劳动生产力发展，以前依井田方式区划的土地形态，自然要变为那种生产力发展的桎梏。从而当时为了应付不断发生战争之战费，并为满足其日益扩增的奢侈消费欲望的各国君主贵族们，乃相率要求破除农业生产上之桎梏，以期增加其地租收入。前述鲁宣公的“初税亩”，就是一个端绪。

事实上，在鲁宣公“初税亩”以前，各国对于公田力租制或井田、助法的土地制度，在先即令按照周初的编制而实行过，以后也一定因了政治经济关系的变动，曾在某种限度予以变通。在鲁宣公开始税亩以后，各国效尤者自然是更多了。但所有一切国家的税制的改变，都还以过去公田力租制的基础，或以那种制度为核心，加以改头换面的变更。而从根本上对于带有原始性的古代井田制予以决定的破坏的，那是始于战国秦孝公之世的商鞅变法。

商鞅变法之要键，即是解除旧来土地形态所加于农业劳动生产上之桎梏。秦由是富强，由是奠下其统一中国的政治势力的基础。

秦之先世，历史上虽把它点缀得有声有色，但周孝王（西元前九〇九年——前八九五年）时代称为帝颛顼后裔的非子，极其限不过一个牧人酋长。他在渭水上游为王从事牧马业务。迨分封得一个未满五十里的附庸国，乃定邑于秦，奉嬴氏之祀。号曰嬴秦。

特秦先虽为一附庸小国，以后领土渐渐扩张，春秋时代为五霸之一，战国时代为七雄之一。至秦王政且灭六国而统一天下。

秦政统一天下的政治势力基础，原是由商鞅变法所定下。商鞅废井田开阡陌的土地政策，后来随秦之版图扩大而推广其实行之范围；由是既经统一后之嬴秦帝国，乃不复能采行周之封建形态。史称“秦废封建而为郡县”了。

秦始皇帝废封设郡的企图，原在扩张帝权，树立专制的官僚主义的机构。但这种新的国家统制组织之出现，根本上因为中国当时有防阻北方牧人种族侵入与推行大治水事业的要求。而阻止牧人侵扰和施行大规模治水事业，又都与发展农业，安定人民生计有莫大关系。但秦始皇的专制活动，完全把这种根本命题忽视了。所以他自身就已目击他的统治机构的动摇，而他已经发其端绪的新的国家统制组织，乃有待于次一时代的努力了。

第二节　中国社会经济上的一大变革局面

在中国历史上，如其说周代的社会经济组织，是就原初共同体施以外科的手术，或者是在不根本改变其体制的限内，予以再编制与再组织，那中国社会经济上最初一次的大变革，就可说是开始于商鞅的变法。商鞅的新法，在先原只推行于秦国，但秦国既因行此新法而致于富强，更进而统一中国，所以他这种变革，竟在整个中国社会经济史上划一个时代。

商鞅所处的时代，是在西元前第四世纪。后百年，秦即成就统一大业。下面是由他实行诸变革至始皇统一后的社会经济各方面的概况，兹分述如次：

一、田制改革

秦国在孝公时代所辖的土地，大都是行过井田法的。井田法之阻碍生产力发达，前面已经讲过了。孝公为图富图强而用商鞅，故商鞅遂主张废止井田法，任耕地之区划自由，并在税制上，依“訾粟而税，上一而民平”的理由，把以前所谓公田力租制的助法，改为物纳地租。关于旧来农民土地多寡之限制，亦并解除。即《通典》所谓：

> 废井田，开阡陌，任其所耕，不限多寡。

二、盐铁之利由国家独占

在春秋战国时代，盐铁已为当时统治者看为山海“财用之宝”。因为盐是人人要吃的，铁器是农夫非用不可的，盐铁由国家独占，实为莫大财源。秦之盐铁，亦由国家专利。《盐铁论》有云：“昔商鞅相秦，外设百倍之利，收山泽之税，国富民强，器械完饰”，特兹所谓独占，所谓专利，与近代此类用语之涵义，当有出入。但秦为独占盐铁，特设有“掌山泽之利”之官，故史称“秦用商鞅之法……田租口赋盐铁之利，二十倍于古”。

三、乡党组织

田制改变，乡村组织亦不能不加以改变。秦之什伍制即商鞅变法所行的编制。《史记·商君列传》中有云：

> 孝公用……卫鞅为左庶长，卒定变法之令，令民为什伍，而相牧司连坐。不告奸者，腰斩；告奸者与斩敌者同赏，匿奸者与降敌同罚。民有二男以上，不分异者，倍其赋。

这所谓“令民为什伍，即令其五家为保，十家相连”。原来在周制上，亦有此什伍之编制，但其本质与职能根本不同。周代所行者，系就自然发生的村落，略加组织。使其便于成就“出入相友，守望相助，疾病相扶持”的目的，而秦之制度，则系将此自然发生的村落组织强行编组，使成为专制国家的基础，所以“民有二男不分异者，倍其赋”；“一人有奸，邻里告之，一人犯罪，邻里坐之”。这种连坐的制度，于专制国家的统治，有莫大的效用；管仲为齐桓公的宰相时，亦曾采行所谓轨里连乡之制，但其严厉而彻底的推行，则是始于商鞅，以后更成为秦代统一后的模范制度。

四、商业工业与货币

在未开化的社会，战争本身，即为正常的交通形态。战国时代长期从事战争的结果，自然发生的诸都市间，乃有连络之可能，由是商人阶级逐渐形成。但商业连络之确保与发达，又大有赖于治平的状态。秦由商鞅变法图强而统一，此种条件已算完备。由是都市渐渐脱却以前孤立性，而相与交易连络。在广大领土上之自然产物的多样性，愈益促成商业的发展，相因而唤起工业的生产。

但在另一方面，长期战争，实在大大破坏了生产力，破坏了应当唤起的需要，所以秦代的经济政策，依旧是以“农桑为本”“耕织为本业”，工商为“末利”，即它所采取的是重农抑商政策。在这种政策下，工商业当不免受到许多限制与不便。但统一国家修筑道路，开建漕运乃至统一度量衡的诸般努力，皆大有造于商业工业。

然而于商工业影响最大者，决为币制的统一。秦代造有金币与铜钱两种货币。前者称上币，以黄金镒（二十两）为之（但非铸币）；后者称下币，形状外圆孔方，重十二铢即半两。孔之左右，附记有“半两”二字。黄金镒所以周转大规模交易，铜钱则供一般使用。铜钱之铸造权，操诸官家，以期统一。至旧时用作交换工具之珠玉，龟贝，银锡等，则概用为装饰品，不复当作货币流通。

五、大土地所有形态

商鞅废井田，破除以前一夫百亩之耕地分配限制，由是“田里不粥”的规定，相因撤除，结局兼并之风盛行，大土地所有形态于以出现。汉董仲舒曾批难商鞅之土地改革政策云：

> 至秦则用商鞅之法，改帝王之制，除井田，民得买卖。富者田连阡陌，贫者亡无立锥之地。

其所以形成此种局面的，一方面因为当时对于有特别战功者，往往允许其兼并土地并奴役人民；同时因铁器的利用，土地制度的改革，农业劳动生产力增进，剩余生产增加，由是相因而发生富豪之家。据《史记》所载，秦始皇统一天下，徙天下豪富十二万户于咸阳。

六、赋税

商鞅变法以后，秦代的赋税，是以“因地而税”为原则，但兼并盛行的结果，耕作者之田地减少，田地税收减少，由是秦始皇乃新设“舍地而税人”之人头税。故世有“田租口赋盐铁之利，二十倍于古”之说。

除此田租口赋而外，中央集权国家之徭役，实非常繁苛。秦代苛役人民徭役劳动的事实，由以次诸点，即可征知。（一）治水事业——在治水事业上，有郑国渠蜀渠之成就；特此系言其极著者，此外一定还有许多治水工程；（二）防备外敌——为防备北方的胡人，始皇曾征发四十余万人修筑长城，又征发五十万人，筑城于南越之地；（三）宫廷土木工事——单就建筑阿房宫及郦山之土工而论，其所役使的人伕，已达七十余万人；（四）战争——例如蒙恬邀击胡人时，被征发之农民为三十万人。

第三节　旧的封建制度的变更

秦代在社会经济方面既有诸多变革，故旧来的封建制度，不能适应其新的要求。

就一般而论，周代由公侯以至于卿大夫，皆有世禄，而爵则与其禄邑相伴。秦对有功者，制爵二十等，但有爵者例无禄邑。商鞅之封于商（十二邑）魏冉之封于陶，泾阳君之封于宛，高陵君之封于邓，范雎之封为应侯，嫪毐之封为长信侯，以及吕不韦之分封十二万户，要皆仅有的例外，而且都是见于统一以前。

迨秦王政完成统一大业，自号为始皇帝时（即西元前二二一年），丞相王绾等建议以燕，齐，楚等僻远之地，封建诸子为王：廷尉李斯反对，以为：

> 周文武所封子弟同姓甚众，然后属疏远，相攻击如仇雠，诸侯更相诛伐，周天子弗能禁止，今海内赖陛下神灵一统，皆为郡县，诸子功臣，以公赋重赏赐之甚足，易制，天下无异意，则安宁之术也，置诸侯不便。

始皇在接受李斯这种意见之后，乃分天下为三十六郡，更名民曰黔首。郡县之官，直隶于中央。郡之主脑为守，县之主脑为令（万户以上之县置令，万户以下之县置长），守令更易之权，操诸天子，由是形成一官僚主义的专制机构。后之论史者，往往以秦之郡县制与周之封建制，为两种根本不同的制度。封建分土分民，受封者世世保有其禄邑；而郡县则时时更易其守令，从表面上观之，两者当各有其不同的特质。

但所谓封建制，不外是建立于社会一定经济机构上，或一定生产和交易诸关系上之政治形态。由封建到郡县之推移，必得由此经济的社会机构予以说明。封建天子把他治下的领土与领民，除自己直接支配者外，其余都分归其子弟或功臣，其子弟或功臣，又按照其阶位，把他由分封得来的领土与领民，除了自己直接支配者外再分封其属下。这样，封建的位阶制，或封建的机构，即因以形成。在这种封建制形成的过程中，一件显而易见的事实，就是自天子以至于卿大夫，即所有属于支配阶层的人们，都是依着土地的领有形式，而寄生于农奴的劳动生产剩余上面。

秦代的土地制度不同，从而它对于领土领民的支配方式也不能一样；秦始皇帝不把领土领民分交于其诸子功臣治理，而大权独揽，对诸子功臣仅“以公赋税重赏赐之”，此与封建似不能同日而语；但问题不在领土领民用何种方式支配，而在支配领土领民的所谓支配阶级，究是寄生于那种形态的生产上面。周代对其领内可以榨取的农奴劳动剩余，直接让诸子功臣分别自行处理；而秦始皇则把这些农奴劳动剩余，全都收归己有，然后再由给俸的形式,“以公赋税重赏赐之”,以此观之,秦之官僚主义的专制机构,与周代封建机构,同是建立于农奴生产形态上面,如其说一种政治形态是取决于其所由建立的经济基础,或者,封建制度的特质,乃存于农奴劳动的剥削,那秦代的郡县制,就与周代封建制没有何等本质上的区别,从而,把秦代这种政治装置,称为专制的官僚主义的封建制,就没有什么说不过去了。

第四节 农民叛乱与秦之灭亡

秦代这种形态的政治制度,在始皇帝以为是非常稳固了,但其成立仅及十余年,即完全归于瓦解。汉班固述其失败之原因说:

> ……至于始皇……内兴工作,外攘夷狄,收泰半之赋,发闾左之戍,男子力耕不足粮饟,女子纺织,不足衣服,竭天下之资财,以奉其政,犹未足以澹其欲也。海内愁怨,遂用溃畔。

这是秦代致亡的扼要而正确的说明。秦始皇承战国长期战争之后，不知修养生息，以培元气，而一味从事劳民伤财的事务。修长城，城南越，建阿房……皆为“海内愁怨”的具体说明。加之赋敛繁苛，刑罚残酷，而豪族又乘机侵渔人民的土地，使许多农民都因失业或弃业，而化为流民隶役。所以始皇没后不久，贫农与流民之叛乱，即到处蜂起。陈涉以“甿隶之人”“迁徙之徒”，揭竿而起，天下响应，而秦卒以灭亡。

当秦始皇统一海内的时候，聚天下兵器于咸阳，徙天下豪族（十二万户）于咸阳，更焚书坑儒，以绝言路，以愚天下之民，其肆意妄为，实极中国古典的专制主义之能事，然其根本致亡之道，则在任意摧毁社会劳动力，使一般农民无以为生。所以代秦而兴的汉代，乃知注意此点，而使中央集权的官僚主义的封建制得以确立。

第二章　古代封建的官僚主义时代

第一节　序说

秦末的叛乱，大体虽是由贫农与流民所发动，但其中资为号召的领袖人物，却仍为六国的后裔及其强宗。他们有的是直接起而参加农民的叛乱，驱逐秦之令守，自就其故国旧地称王；有的则为一般群龙无首的乱民所推戴。项羽原为楚国强宗的后裔，他起自扬子江下游，奉楚怀王孙心为义帝以资召号，他一时曾并有大部分的中国，称西楚，封齐赵等诸侯王，达十四国之多。

当时由游浪人出身的刘邦，曾直捣秦都咸阳，由项羽封以汉中巴蜀之地。刘邦后来称汉王，定都于汉水上游之南郑，与项羽形成对立之势。迨项羽弑义帝，他乃用这个名义讨伐项羽，并有天下。他于西元前二〇二年即皇帝位，定都于长安，而为汉代创业的高祖皇帝。

高祖即位后，即分封异姓功臣与同姓子弟为王。但汉代由高祖肇基的封建制度，以后不是向着离心的封建制发展，却反而是逐渐向着统合的中央集权的官僚主义的封建制发展。在高祖的晚年，即相续剪除异姓诸侯，而以同姓充之；以后经过吴王濞之叛变，更多方削弱同姓诸王。延及景帝武帝以后，诸侯王并不得治民补吏；虽有君国子民之名，不过食其邑之税收而已。他们早已不能擅有土地甲兵，所以论史者谓汉至景武之世，封建已开始废其实而仅存其名了。

但这种封建集中的趋势，与其谓为最上层统治阶层之利害打算，毋宁谓为实际社会经济状况的要求。因为封建制度之分立或集中的形态，乃“取决于下列的条件”：

（一）交换关系发展的程度；

（二）居民的种族成分；

（三）地理条件。

交换关系发展的时候，需要领土统一，商路上比较没有什么危险，这是必然需要集中而又巩固的政权；原始经济占有优势的时候，便没有好的道路，人民的种族异常复杂，缺乏经济的中心，故政权分立，领土分散。因此发生了两种趋势的斗争。俄国一位历史家名为“封建制度的离心力与向心力”[1]。汉代封建制度所以向着“向心力”发展的原因，我们当由其一般社会经济情形来说明。

第二节　农业社会之诸生产力的向上

关于汉代农业诸生产力之改进情形，可就以次诸项予以说明。

一、铁器与牛耕

铁器自战国以来，虽渐普遍使用，但在汉代农具中所占地位，由“铁器农民之死生也”一语，即可征知。不过因为铁器成为农民之死生问题，故官方及铁贾均多方抬高铁价，致汉兴百余年后，《盐铁论》中还有以次的记载：

[1] 见库斯聂著，高素明译:《社会形式发展大纲》。

> 今县官作铁器苦恶多，用费不省——盐铁贾贵，百姓不便。贫民或木耕手耨，土耰啖食，铁官之卖器不售。

铁器价格高到使贫农仍不得不用木耕手耨，那主要系由铁器专卖的结果。农民既有用木耕与用手耨的，可见牛耕在当时还不十分普遍。不过，比起战国乃至秦代，当时的铁制农具或牛耕，都要普及多了。

二、区种法，土壤改良术，及代田法

区种法系倡于汉代农学者氾胜之。《齐民要术》引述氾胜之关于耕耘之意见云："凡耕之本，在于适时作业，……凡爱田者，常以五月田耕，六月再耕，七月勿耕，……五月一度耕，其效果等于三度耕；六月一度耕，等于再度耕；若七月五度耕，则不及一度耕……如是，田虽薄恶，收获亩得十石。"至氾胜之之区种法，则如次述：

> 以亩为率。令一亩之地，长十八丈，广四

丈八尺。当横分十八丈作十五町，町间分为十四道以通行人。道广一尺五寸，町皆广一丈五尺长四丈八尺。尺直横鉴町作沟，沟一尺，深亦一尺。积壤于沟间，相去亦一尺。以一尺地积壤不相受，令弘作二尺地以积壤，种禾黍于沟间，夹沟为两行，去沟两边各二寸半，中央相去五寸，旁行相去亦五寸，沟容四十四株，一亩合一万五千七百五十株。种禾黍，令上有一寸土，不可过一寸，亦不可令减一寸。凡区种麦令相去二寸一行，一沟容五十二株，一亩凡四万五千五百五十株，麦上土令厚二寸。凡区种大豆，令相去一尺二寸，一沟容九株，一亩凡六千四百八十株。区种荏，令相去三尺，胡麻相去一尺。区种旱天常溉之，一亩常收百斛。（见《齐民要术》第一卷）

由此可知当时的主要农产物，为禾黍、麻、麦、豆、农家于田边宅畔，还种植桑树野菜，及其他果树。

当时关于土壤及施肥的知识，亦有相当进步；土壤依性质分为九种，然后分别将种子浸于牛、羊、麋、鹿、貆、狐、豖、蕡、犬之骨汁中，至适当时候，取出莳种，此之谓浸种法。关于骨汁之制作，系剉马、牛、羊、猪、麋、鹿骨一斗，以雪汁三斗煮之，经三度沸腾而取其汁。除此浸种法外，粪尿亦被利用为肥料。

最后，代田法系由武帝末年之搜粟都尉赵过所创。其办法及效果如次：

> ……过能为代田，一亩三甽，岁代处，故曰代田。……广尺深尺曰甽，长终亩，一亩三甽，一夫三百甽，而播种于三甽中。苗生叶以上，稍耨陇草，因隤其土以附苗根。……陇尽而根深，能风与旱。……用耦犁，二牛，三人，一岁之收，常过缦田甽一斛以上，善者倍之。（《前汉书·食货志》）

他这种方法，就是每年代换甽之位置，求其用力少而得谷多。惟其有此实效，故推行颇广。赵过为便于其代田法之实行，“使教田太常三辅。大农置工巧奴与从事，为作田器。二千石遣令长三老力田及里父老善田者，受田器，学耕种，养苗状”，“民或苦牛少，无以趋泽”，则“教民相与庸挽犁”。此法由上陵隙地，离宫隙地，一直推行到边郡，于是“至昭帝时，流民稍还，田野益辟，颇有蓄积”。

以上这种种耕作技术上之改良，益以铁制农具与犁耕的渐次普及，已可概见汉代农业诸生产力之向上趋势，但同时我们还不要忽略当时在治水方面的成绩。

三、治水事业

治水事业之彰彰可述者，如（一）文帝之世（西元前一七九年——前一五七年），开煎溲口灌溉繁田千七百顷。（二）武帝（西元前一四〇年——前八七年）开凿渭渠，龙首渠白渠等。即第一，武帝依大农郑当时之言，引渭穿渠，以达于河，其径达三百余里。此渠开凿，既便漕运，且渠下民田万余顷，得以灌溉。特因工程浩大，故发卒数万人，三年始得开通。第二，为开垦河边荒芜地五千顷，及漕运之便，引汾分黄河而开渠。作渠作田所征发之人工，亦达数万，但后因黄河河道变迁，致作渠，田，均皆废弃。第三，由征县引洛水以达商颜之麓，开凿龙首渠，发卒万余人，历十余年而通，其所灌溉之卤田，达万余顷。第四，引泾水，穿渠二百里，灌田四千五百余顷，称为白渠。此外，“朔方、西河、河西、酒泉、皆引河及川以灌田；而关中辅渠灵轵，引堵水，汝南九江引淮，东海引巨定，太行下引汶水，皆穿渠为溉田，各万余顷，佗小渠披山通道者，不可胜数”（《史记·河渠书》）。

在另一方面，汉代于防水设施，亦颇为努力。“文帝时河决酸枣，东溃金堤，于是东郡大兴卒塞之。”武时帝之世，“河决于瓠子，东南注巨野，通于淮泗，于是天子使汲黯郑当时兴人徒塞之。”（同上河渠书）

元帝时（西元前四八——前三三年），南阳太守召信臣筑设钳卢陂，累石作堤，傍开六石门以调节水势。受其利益之田，年有增加，后达二万余顷。后汉章帝时（西元七六——八八年）庐江太守王景，曾重修安丰县已经荒废的灌溉池，此池名为芍陂，径长百里，灌田达万余顷。顺帝时（西元一二六——一四四年）会稽太守马臻建镜，筑塘，环周三百十里。灌田九千亩。

四、人口

中国人口在前汉时代大体有所增加，但中国最古的人口统计，却是成于前汉末平帝元始二年（西元二年）。据此统计，其户数为一二二三三〇六二户，人口为五九五九四九七八人。然自经王莽时代之饥饿疫疠，与多年之战乱，实际人口已大减少。而户籍之紊乱，更使户数激减。在后汉光武帝中元二年（西元五六年），其户数已减至四二七九六三四户，人数则减为二一〇〇七八二〇人。即在半世纪间，前者减去三分之二，后者亦减少二分之一以上。迨延至后汉末之桓帝永寿二年（西元一五六年），户数复增至一六〇七〇九〇六户，人口则为五〇〇六六八五六人。两者殆皆恢复前汉时代之旧观。

第三节　农民的地位

汉代农民的地位，可由以次诸方面知其梗概。

一、耕作者经营的面积

自秦废井田，破“田里不粥”之限制以来，兼并盛行，致“富者田连阡陌，贫者无立锥之地”。秦始皇虽徙豪富十二万户于咸阳，地方仍存有不少豪富，兼并之风，并不因之而杀。楚汉乱离之际，巧取豪夺者，为日不足。汉代统一局面告成，对于秦之旧规，仍照样沿袭。于是人民“无立锥之地”者，乃以十分纳五之田租，耕作豪富的土地。董仲舒曾描述此种情形说：

……或耕豪民之田，见税什五。故贫者常衣牛马之衣，而食犬彘之食，……汉兴循而未改。（《前汉书·食货志》）

惟其“循而未改”，故豪族兼并如故：

成帝时，张禹占郑白之渠，四百余顷，他人兼并者类此。（马端临：《文献通考》）

王莽亦说：

当时强者，规田以千数。（《前汉书·王莽传》）

土地为强豪者所吞并，一般农民由他们手中所租借经营的土地，究为多少呢？我们就当时载籍所指述的，知其约为百亩左右。晁错说过：

> 今农夫五口之家，其服役者不下二人，其能耕者不过百亩，百亩之收，不过百石。（《前汉书·食货志》）

武帝时，赵过所倡之代田法，亦系表明一夫百亩。据云：

> 过能为代田，一亩三甽……一夫三百甽。（《前汉书·食货志》，一亩即一亩，是三百甽，即为百亩。）

要之，当时耕作者所耕作的土地面积，大体不外一夫百亩。即井田古制虽废，其在土地方面的若干规制，还足令去古未远的时代，受其范围。

二、租赋

如前所述，耕作者所经营的土地，大体是由强豪或大土地所有者租来（当然有一部分自耕农存在），并且，他们大体是对那些大土地所有者提供百分之五十的田租。汉代的税制，在先是对田租征取十五分之一，景帝以后，减至三十分之一。后汉亦是仿行此种轻税制度。不过，中央政府所行的轻税制，于直接农耕者的地位，不独无所改善，且还从两方面加重他们的困厄：（一）田税减轻，受其利者只是一般坐吃地租的大土地所有者，他们受到这种轻税的奖励，必图进一步肆行兼并；（二）中央政府是非有一定的岁出不可的。它由田税方面取之者少，由其他方面取之者，即不能不多。于是乃有所谓苛租杂税。

在高祖之世，即开始征收算赋，凡人民十五岁以上，五十六岁以下者，每岁均须纳百二十钱。其后武帝对七岁以上，十四岁以下者，每岁亦征二十三钱。不仅此也，马端临谓汉代对于人丁，不但税之，且又役之。汉代所征徭役，非常繁重，凡二十岁以上，五十六岁以下者，每年须提供一月间之无偿劳动并得戍边境三日。对外的征伐，北边的防备，以及种种大规模治水事业，皆由此等徭役劳动充当。凡不提供徭役劳动，则课以“更赋”，对一个月之服役，须输纳二千，对三日的服役，须输纳三百。

然而农民所受专制主义的恶害，还不在其已经规定的赋税，而在对于此等赋税之无限制的额外的苛索。晁错所谓“急政暴虐，赋敛不时，朝令而暮改”，已经表白了农民在专制统治下的一个暗面，但大体上，这还是就赋税而言，至其在徭役劳动方面所受的痛苦，《盐铁论》曾有很好的说明。

> 今天下统一，而方内不安。徭役远，外内烦。古者过年无徭，逾时无役。今近者数千里，远者过万里；历二期而长子不还，父母忧愁，妻子咏叹。愤懑之情发于心，慕思之积痛骨髓。

第四节　工业

汉代工业生产上值得注意者，有盐业铁业酒业以及制纸业等等。兹分别举述如次。

一、煮盐冶铁

秦代煮盐冶铁的工业，系隶属于国家，由国家独专其利，故史称秦用商鞅之法，盐铁之利，二十倍于古。汉初率由旧章，沿而未改。但至文帝之世，乃许民冶铁煮盐，于是私营发达。而有以次的现象。

> 浮食奇民，好擅山海之货，以致富业，欲役利细民。……铁器大刃，天下之大用也，非所以宜于众庶也。往者强豪大家，得管山海之利，采铸铁石，煮盐。一家聚众，或至数千人，大抵尽收放浪之人民也。远去乡里，弃坟墓，依赖大家，聚深山穷泽之中，成奸伪之业，遂朋党之权。

这段见于《盐铁论》，其所论正文帝许人民冶铁煮盐以后情形。“一家聚众或至千余人”，足见其规模不少。经营者都大发其财。《史记·平准书》中有云。

> 冶铁煮盐，财或累万金，而不佐国家之急，黎民重困。

惟其“不佐国家之急”，故至武帝之世，乃因防备匈奴之支出浩大，断然实行盐铁专卖，故《盐铁论》有谓:“边之用度不足，故兴盐铁，设酒榷，置均输蕃货长，以佐助边费。”但武帝要进行国家盐铁独占之业，仍不能不仰赖当时以煮盐冶铁而“累千金”的大制盐业者大制铁业者孔仅及东郭咸阳，以他们为大农丞或盐铁丞，掌理盐铁。他们于是对武帝这样献策:

> 山海天地之藏也，皆宜属少府，陛下不私，以属大农佐赋。愿募民自给费，因官器作煮盐，官与牢盆。浮食奇民，欲擅管山海之货，以致富羡，役利细民，其沮事之议，不可胜听。敢私铸铁器煮盐者，钛左趾，没入其器物。郡不出铁者，置小铁官，便属所在县。(《史记·平准书》)

这就是说，国家给予生产者以生产手段（官器及盆等）与生活资料（牢），使制盐冶铁完全从属于国家：一方面可裕国家收入，同时又可阻止浮食奇民，隶役细民，以图暴利。在国家专利下，如尚有私行经营盐铁的则予以没收器具和着附铁脚之惩罚。至不出铁的郡区，则置一小铁官，专司买集旧铁器和铸造新铁器的任务。

他们这种献策被采纳之后，孔仅与东郭咸阳即乘驿传的车子，进行煮盐与冶铁的国营，并设置冶铁煮盐的官府。分发盐官于二十八郡，分发铁官于四十郡。自是盐铁业完全隶属于国家。延及昭帝之世，盐铁应否专卖，曾掀起种种议论。桓宽所撰述的《盐铁论》，即系此时的产物。到了元帝的时候，曾一度罢免国营盐铁的盐铁官，但不久即行恢复，大体上，汉代自武帝以后，直至后汉末年，盐铁皆系采行国营制。

二、酿酒

汉武帝天汉二年（西元前九八年），依桑弘羊的动议，榷酒酤，即禁止酒之私酿私卖，设榷酤官从事国营。此种国营事业，称为榷酤或酒榷。在实施上曾引起种种议论，昭帝时虽一度废止，但不久即对贩卖之酒，每斤征税四钱。王莽曾对酒之酿造贩卖，强制官营，然彼之一切改革，结局都归失败。后汉对于贩卖之酒，大抵皆征酒税。

三、制纸

世界制纸的起源，一般皆承认是始于中国。而中国制纸术的发明者，据历史所载，乃系后汉和帝时代（西元八九——一〇五年）的蔡伦，他用树皮，麻头，敝布，及鱼网造纸，故其所成之纸，称为“蔡侯纸”。然依照许氏《说文》，远在蔡伦以前，中国即有以絮为原料而造纸之说。果其如此，蔡伦就不过是一位制纸原料的改良者罢了。无论如何，中国在去今一千八百余年以前，是已经知道用楮，麻屑及绵絮为原料而造纸的技术的。据最近学者们的考证，当时制纸之法，系在原料上加以水分，使其发酵，然后再放在臼中捣碎；这已经是非常进步的方法。所以萨拉森人的制纸术，有人说是由中国传授去的。

第五节　商业，钱币及市场统制设施

一、商业

商业的发达，颇有赖于广大的市场，和安定的社会。汉高祖统一天下，原为当时商业发展的绝好机会。但社会生产力经过秦代的摧残，与楚汉之际的战乱，民贫财匮已达极点。太史公谓“天子不能具钧驷，而将相或乘牛车，齐民无盖藏。”亦可见当时的困状。

但在此丧乱之中，一般“不轨逐利之民”，却“趁火打劫”的发了一笔混财。所以“天下已平，高祖乃令贾人不得衣丝乘车，重租税以困辱之”。迨至惠帝高后时，因“天下初定，复弛商贾之律”；“开关梁，弛山泽之禁”，不过对于市井之子孙，仍不许其仕宦为吏。

商贾之律既弛，商业遂在统一而安定的社会状况下，迅速发达。商人阶级有了钱，都阔气起来，法律虽禁止他们的子弟仕宦为吏，但金钱万能，王侯都同他们往来。晁错曾述此种情况说：

……商贾大者积贮倍息，小者坐列贩卖。

> 操其奇赢，日游都市。乘上之急，所卖必倍。故其男不耕耘，女不蚕织，衣必文绣，食必粱肉。因其富厚，交通王侯，力过吏执，以利相倾。千里敖游，冠盖相望。乘坚策肥，履丝曳缟。此商人所以兼并农人，农人所以流亡者也。今法律贱商人，商人已富贵矣；尊农夫，农夫已贫贱矣。故俗之所贵，主之所贱也；吏之所卑，法之所尊也。（《前汉书·食货志》）

这段话，不但暗示了当时商业资本蓄积的程度，且还表明了商人阶级在社会上的地位；法律虽然抑制他们，他们富厚了，就不怕一般人不来巴结。太史公亦曾表述此种现象：

> ……富商大贾，或蹛财役贫，转毂百数，废居居邑。封君皆低首仰给。

封君且要低首下心的受他们的供给，抑制他们的法律，自然不免要变为具文。所以，自武帝起用孔仅东郭咸阳经营盐铁事业以后，以做盐铁生意发财的这两位新官人，遂缘引同类，“除故盐铁家富者为吏”，所以太史公喟然太息于“吏道益杂不选，而多贾人矣”（《史记·平准书》）。

商人钱多而势大，于是“商贾滋众”。武帝元光六年，开始课商贾税，车税船税；元狩四年，对缗钱——以丝串之，钱千文为一缗——课税；又对未取得市籍，即未在市场上开设铺店之经商者，亦课税。已在市场上开有铺店，而取得有市籍的贾人，则其自身及家族，皆不许其占有田地。

然此等负担与限制，均不足以打击商人。适武帝常有事于边陲，需财孔亟。于是行卜式之议，下缗钱令，即凡民有非由农桑所得之缗钱，即当分财以佐县官，以救边陲的急需。但令出而富豪皆争匿其财，不肯拿出；由是负责办理此事之杨可，乃“告缗钱编天下。中家以上，大抵皆遇告……乃分遣御史廷尉正监分曹，往，即治郡国缗钱。得民财物以亿计；奴婢以千万数；田，大县数百顷，小县百余顷，宅亦如之，于是商贾中家以上，大率破”（《史记·平准书》）。

“中家以上”的商贾经过这次大破产，由是中国商业资产阶级，乃在此专制国家统治下败退下来，但中国毕竟是一个土地广大，物产丰富的国家，“山西饶竹、材、谷、纑、旄、玉石；山东多鱼、盐、漆、丝、声色；江南出楠、梓、姜、桂、金、锡、连、丹沙、犀、玳瑁、珠玑、齿、革；龙门碣石北多马、牛、羊、旃、裘、筋、角；铜铁则千里往往山出棋置，此其大较也。皆中国人所喜好，谣俗被服饮食奉生送死之具也。故待农而食之，虞而出之，商而通之”（《史记·货殖列传》）。因此，中国古代的商业，虽常受专制国家之不绝摧残压抑，但通有于无的自然要求，终能促其成长起来。

商业相当发达的结果，商业所由进行中的地区，乃逐渐与农村分离，而形成商贾集中的都市，不过中国古代的都市形态，多半带有非常浓厚的官僚气息，商贾在先也许都是集中在官吏驻在的地方，所以他们亦挣得有钱，就“冠盖相望”“乘坚策肥”的摆起十足的官僚架子。至当时著名的都市，据《盐铁论》的记述，则“燕之涿，蓟，赵之邯郸，魏之温轵，韩之荥阳，齐之临淄，楚之宛丘，郑之阳翟，三川之二周，富冠海内，皆天下之名都也。”

但除此等“通都大邑”外，各地方的商业交易，则是进行于所谓“市”或“集”中，“市”“集”即买卖交易之场所。其最原始的形态，并无常设之铺店，不过到了每年一定的日期，买者卖者群集于一个地方。此地方大约为交通比较方便的所在；后来，此种所在，或者慢慢常设有铺店，卒至形成一个较大的市镇。但是不常设铺店的那种古典的“市”或“集”，就在今日中国内地各省，还有其遗型存在。

二、货币

在汉高祖初定国基的时候，国家财政及人民经济状况，都非常困蹶，于是乃以秦朝半两钱过重难用，令民铸荚钱，即重三铢（秦钱重十二铢）而轻如榆荚之钱。

至文帝时，因人民自由铸造，“钱益多而轻”。乃禁人民盗铸钱，后更铸四铢钱，其文为半两，除盗铸钱同，使人放铸。但人民铸钱，如杂不纯成分，则加以种种刑罚。当时贾谊曾痛述此种币制的弊害。他说：

法，使天下公得顾租铸铜锡为钱，敢杂以铅铁为它巧者，其罪黥。然铸之情，非殽杂为巧，则不可赢，而殽之甚微，为利甚厚。夫事有召祸，而法有起奸，今令细民人操造币之执；各隐屏而铸作。因欲禁其厚利微奸，虽黥罪日报，其执不止。乃者人民抵罪，多者一县百数，及吏之所疑，榜笞奔走者甚众。夫县法以诱民，使入陷阱，孰积于此，曩禁铸钱，死罪积下；今公铸钱，黥罪积下。为法若此，上何赖焉。又，民用钱，郡县不同：或用轻钱，百加若干；或用重钱，平称不受，法钱不立，……则市肆异用，钱文大乱，苟非其术，何乡而可哉！（《前汉书·食货志》）

这段话论“法币不立”与币制混乱的流弊，就在今日，亦称为至理明言。况且，小百姓铸钱“殽杂为巧”，虽可处以严刑，诸侯宠幸出此，则法律干涉不到。故吴王濞“以诸侯即山铸钱，富埒天子……邓通大夫也，以铸钱财过王者，故吴邓钱布天下”。

然而其祸害尚不只此。当时一般农民因为采铜铸钱有利可图，大家都“释其耒耨，冶熔炊炭”，以致奸钱日多，五谷日少。然则如何救济呢？贾谊以为只是用严厉法律，禁止人民铸钱是不行的。“奸数不胜，法禁数溃，铜使之然也。”“铜布于天下，其为祸博”，故根本救济之策，是由政府先把铜搜集起来。他认为照此办法，可致七福，即：“上收铜勿令布，则民不铸钱，罪黥不积，一矣；伪钱不蕃，民不相疑，二矣；采铜铸作者反于耕田，三矣；铜毕归于上，上挟铜积，以御轻重：钱轻则以术敛之，重则以术散之，货物必平，四矣；以作兵器，以假贵臣，多少有制，用别贵贱，五矣；以临万货，以调盈虚，以收奇羡，则官富而民困，六矣；制吾弃财，以与匈奴逐争其民，则敌必怀，七矣。”（《前汉书·食货志》）

贾谊虽如这样说得头头是道，但文帝没有采纳他的劝告，不过他的主张，后来大体上算为武帝所采行了。

继文帝而后的景帝时代，曾实行禁止自由铸造，而官家所铸货币，种类颇不一律。至武帝元狩五年（西元前一一八年），始铸划一之五铢钱；大体上，中国铸币由国家独占，乃至其形式与重量的确定，乃见于西元前第二世纪后半期，即景帝武帝时代。

但武帝时代之划一五铢钱，亦曾经历过种种波折与经纬。武帝建元元年，销毁文帝时代之四铢钱，而铸三铢钱以代之。不久，又罢三铢钱，行半两钱。但因当时不绝对从事对外战争的缘故，“大农陈藏钱，经耗，赋税既竭，犹不足以奉战士”。于是“令民得买爵，及赎禁锢，免减罪”，以资补充。但是鬻爵和赎刑的收入，究还不足以供应不绝须颁给于建立战功者的赏赐金，加之当时水灾旱灾惨重，“天子遣使者虚郡国仓廪，以振贫民，犹不足，又募豪富人相贷假，尚不能相救，乃徙贫民于关以西，及充朔方以南新秦中，七十余万口，衣食皆仰给县官……其费以亿计，不可胜数，于是县官大空。”在这中央地方交困的情形下，乃令县官销毁半两钱，铸造三铢钱。更以“白鹿皮方尺，缘以藻缋，为皮币，直四十万”。此外，“又造银锡为白金，……白金三品：其一曰重八两，圆之，其文龙，名曰白选，直三千；二曰重差小，方之，其文马，直五百；三曰复小，椭之，其文龟，直三百”。对于这些金钱的盗铸，皆处死刑，但法定价格在实在价值以上，“而吏民之盗铸白金者，不可胜数”。

此后，因“三铢钱轻，易奸诈”，乃更令郡国铸五铢钱；对于此种钱的表里，施以轮廓，所谓“周郭其下，令不可磨取熔焉”。然而法令愈严，奸诡益作。“天下大抵无虑皆铸金铸矣。犯者众，吏不能尽诛”，“于是遣博士褚大徐偃等，分曹循行郡国”，无奈“郡国多奸铸钱”。结果，“令京师铸钟官赤侧。一当五，赋官用，非赤侧不行”。然赤侧钱贱，“民法巧用之，不便”。

这样变来变去，为弊滋多，最后乃决定不许郡国铸造五铢钱，把货币铸造之权，集中于中央，专令负铸钱之责的上林三官办理。迨上林三官铸就五铢钱，于是“令天下非三官钱不得行，诸郡国前所铸钱，皆废销之。输其铜三官，而民之铸钱益少，计其费，不能相当”。则恰是贾谊所谓“上收铜勿令布，官民不铸钱”。

五铢钱之铸造，既统于三官，同时皮币，白金，赤侧钱，又予以废止，于是统一之铸币出现，中央集权力量加强；武帝时代的此种五铢钱，至七八十年后的平帝之世，其铸造数量竟达“二百八十亿万余”。其重量，形式与名称，且成为中国历代铸币的标准。

在王莽之世，曾铸造称为“宝货”的货币二十八种；计金一品，银二品，龟宝四品，贝货五品，布货十品，钱六品，但当时五铢钱依旧行于民间。王莽灭亡，其宝货不久即行废止。

后汉光武帝中兴，曾于建武十六年（西元四〇年）复兴五铢钱，直至汉末。

三、均输平准及常平仓

汉武帝时所设均输，平准之制，见《前汉书·食货志》，其大体轮廓虽可由此窥知，但“其详不可得而闻也”，两者都寓有财政目的，且都具有统制流通过程的职能。均输制之设，原因郡国诸侯对京师有所贡纳，运输往返，劳费滋多，故特设均输之官，总受各地之贡纳物，转输京师，如此，“僦费”即运赁可省，同时物价亦赖以调节。但此制大体系行于远方州郡；京师则别设一物价统制官，将各地均输来之现物贡赋，依实际需给状况，或价格腾落状况而予以处分；行此处分，即为平准之职能。《前汉书·食货志》叙述均输平准之旨趣云：

……置大农部丞数十人，分部主郡国，各往置均输盐铁官，令各远方各其物，如异时商贾所转贩者，为赋而相灌输。置平准于京师，都受天下委输。召工官治车诸器，都仰给大农。大农诸官，尽笼天下之货物；贵则卖之，贱则买之。如此，富商大贾亡所牟大利。则反本而万物不得腾跃。故抑天下之物，名曰平准。

此制实行，其效大见。“诸农各致粟山东，漕益岁六百万石，一岁之中，太仓甘泉仓满，边余谷。诸均输帛五百万匹，民不益赋，天下用饶。”但其缺点在“令吏坐市列，贩物求利”。所以昭帝即位，“诏郡国举贤良文学之士，问以民所疾苦”与“教化之要”，他们都以为首先要“罢盐铁酒榷均输官”，以示“毋与天下争利”。但因此制为当时“制四夷安边足用之本”，所以“历宣元成哀平五世，亡所变改”。

汉代统制市场之另一制度，即为常平仓。常平仓即所谓三仓——常平仓，义仓，社仓——之一，其起源大约系在前汉末季宣帝五凤五年（西元前五四年）。汉自武帝晚年行赵过之代田制（详见本章第二节）后，至昭帝之“田野益辟，颇有蓄积”。“宣帝即位……百姓安土，岁数丰穰，谷至石五钱，农人少利。”于是当时精于功利筹算的大司农中丞耿寿昌，乃请帝“令边郡皆筑仓，以物贱时增其贾而籴，以利农；贵时减贾而粜。名曰常平仓”。

可见常平仓之用意，不外求谷价之平衡。但照此说来，常平仓的滥觞，还是发端于战国时代。战国时魏文侯（西元前四二五——前三八七年）之宰相李悝，曾力言谷物过贵过贱之弊害。谓“甚贵则伤人（指工商——编者），甚贱伤农，伤则离散，农伤则国贫，故甚贵甚贱，其伤一也。”他于是主张行“平籴”之法。是李悝之“平籴”法，可视为常平仓之先驱。但常平仓自汉开其先例后，其余历代几乎皆在某种限度予以设施。不过设置常平仓之目的，因时而异，而且历代皆作辍无常。就在汉代，行至元年时，即以在位诸儒多言“毋与民争利”而罢。

第六节　汉代奴隶问题

中国在殷商以后，即有所谓奴隶存在，但奴隶至汉代始成为社会问题。

在前面第一篇第二章中讲过，中国历代差不多都有奴隶，但任何朝代的奴隶的性质，或奴隶在生产上所占的地位，都不够使奴隶制度在中国社会发展阶段上，成为一种“划时期”的体制。

在春秋战国之际，载籍中已显示出了奴隶的痕迹。如《左传·昭公三年》谓：“栾、郤、胥、原、孤、续、庆、伯、降在皂隶。”又同七年谓“……王臣公，公臣大夫，大夫臣士，士臣皂，皂臣舆，舆臣隶，隶臣僚，僚臣仆，仆臣台，马有圉，牛有牧。”所有“皂”“隶”“仆”“舆”这些名目，都不过官奴婢或家内奴婢而已。然而用奴隶从事生产事业的，亦并不是绝对没有。

《前汉书·货殖列传》谓：

> 齐俗，贱奴虏，而刁闲独爱贵之。桀黠奴，人之所患，唯刁闲收取，使之逐鱼盐商贾之利，

或连车骑，交守相。然愈益任之，终得其力，起数千万。故曰宁爵无刁，言能使豪奴自饶而尽其力也。

此外，同《货殖列传》还言蜀之卓氏，“用铁冶富”，“富至童八百人”，此虽未明言役“童”冶铁而致富，吾人不妨作此推想也。

不过，用奴隶从事生产业作，要以刁闲为一适例，但同时却又为一特例；因细玩“齐俗，贱奴虏，而刁闲独爱贵之；桀黠奴，人之所患，唯刁闲收取，使之逐鱼盐商贾之利”云云，足见当时没有人像刁闲这样利用奴隶。

楚汉之际，《史记》载陈涉为“瓮牖绳枢之子，甿隶之人，而迁徙之徒”，又谓，“陈涉少时尝与人佣耕……”云云，今之论史者，遂以此为秦代用奴隶从事生产作业之绝对例证。其实这所谓“甿隶之人，而迁徙之徒”云云，不过极言陈涉之卑下无能，与秦朝统治的极形脆弱，所以下文即谓其（陈涉）“才能不及中人，非有仲尼墨翟之贤，陶朱猗顿之富，……”

然而这并不是说陈涉非奴隶，即为当时无奴隶，且没有以奴隶从事生产作业的证明。事实上，经过了商鞅土地改革，与大土地所有形态发生以后，许多农人都因土地被兼并，而降为无业流民，降为家内奴婢，或者为了饥饿驱使，而自行向那些豪富拍卖。所以降及汉代，高祖五年即诏“民以饥饿自卖者，皆免为庶人。”文帝四年诏：“免官奴婢为庶人。”

不过，这几道诏旨，并未从根本廓清奴隶。所以到武帝时，为实行缗钱令（参见本章第五节）派人往“治郡国缗钱，得民财物以亿计，奴婢以千万数……”对于这些没收的奴婢，该是怎样处置呢？《史记·平准书》中是谓：“其没入奴婢，分诸苑养狗禽兽。”

在官僚主义的封建统治下，官场固然用得着大量的奴婢，以壮威势，就是在那些官僚富商豪族家中，也不妨多多豢养一些奴婢，以供驱使，因为当时的社会生产状况，是还不够令他们作尽量的奢侈消费的，多豢养一些奴婢，那也算是奢侈消费的一个大项目。前面引述“治郡国缗钱，商民财物以亿计，奴婢以千万数……于是商贾中家以上大率破。”可见富商大贾豢养奴婢的程度。

至官家的奴婢，则更为繁多：桓宽《盐铁论》中有云：

> 百姓或无计筲之储，官奴累百金，黎民晨昏不释手，奴婢垂拱手遨游也。

像这样豢养毫不做事的大批奴婢，当然会引起社会问题，所以《贡禹传》中有云：

> 禹言官奴婢十余万，游戏无事，税良民以给之，岁费五六巨万，宜免为庶人。

《成帝本纪》中亦有类似的记载，谓：

> 公卿列亲属近臣多蓄奴婢，被服绮縠，其申敕有司以渐禁之。

把奴婢装饰得出色一点，主子当然看着更舒服，而且更有面子，但不生产消费过大，实足以加重生产者农民的负担，所以延至哀帝之世，乃不得不设法予以取缔，所以《哀帝本纪》有云：

> 诸侯王皆得名田，国中列侯在长安公主名田，县道及关内侯吏民名田，皆毋得过三十顷，诸侯王奴隶二百人，列侯公主田百人，关内侯吏民三十人，期尽三年，犯者没入官。

这个法令把“名田”及限制奴隶一起叙述，有人遂以为当时是用奴隶耕田的证据，其实这些贵介人家所用的奴隶，都是“拱手遨游”，“游戏无事”及“被服绮縠”的奴婢。

王莽之世，虽曾禁止奴隶买卖，但至光武时代，奴隶买卖之风，依旧盛行。所以光武接连发了几道解放奴婢的诏命，如二年召云：“民有嫁妻卖子，欲归父母者，悉听之，敢拘执，论如律。”六年诏云：“王莽时吏人没入为奴婢不应旧法者，免为庶人。”这类法令，都是在一定限度或一定条件下，解放奴婢。所以奴婢在后汉还是和在前汉一样，成为社会一大不生产的消费。《后汉书·仲长统传》中有云：

> 豪人之室，连栋数百，膏田满野，奴婢千群，徒附万计，船车贾贩，周于四方。废居贮积，满于都城，琦赂宝货，巨室不能容，牛马羊豕，山谷不能受。妖童美妾，填乎绮室，倡讴妓乐，列乎深堂。

这段话中的“奴婢千群，徒附万计”，似乎就是下文“船车贾贩，周于四方”的活动者，但“连栋数百”的“豪人之室”，确也用得着“奴婢千群”来服侍，况“山谷不能受”的“牛马羊豕”，该要多少奴婢喂养呵。

总之，汉代（前汉后汉）的奴婢，都是限于家内奴隶与“官奴婢”的性质。间或虽有用于煮盐，冶铁，服商，以及驾驶车船的，但其数有限；至少对于当时社会上之决定生产部门即农业上的活动，奴婢无所益助。而且，奴婢在当时之所以成为问题，并非由于其生产性，却正因其不生产性。

前述高祖文帝及后汉光武之免奴婢为庶人，以及哀帝时代的限制王侯乃至吏民的奴隶，都是为的奴隶为不生产的消费。

然则汉代为何不用奴隶从事农业生产，而必须要对有奴婢者加以限制或免为庶人呢？这原因，就是因为当时农业已经相当的趋于集约化，即当时农业上容纳粗放的奴隶劳动的余地，益发缩小了。特别是稻田耕作普及与农业的灌溉性质，都与严格的奴隶劳动不能相容。就因为这种历史事实，中国奴隶制乃不得不变形化。

奴隶既不适于中国集约化的农业生产，同时中国专制机构下所演成的灾荒动乱以及强豪的兼并土地，又适足以不断的造出大量的失业者流民或奴婢；由是，这用不到生产事业上的大批奴隶，乃适应了专制贵族官僚大摆封建场面的要求。所以如其要把古代希腊罗马社会那种奴隶体制看作典型的奴隶制，那中国只算有了奴婢制，或者至多只是有了一种附着或寄生于官僚主义的封建机构的奴隶制。从而奴隶制度不能在中国占一个分划历史阶段的地位。

第七节　王莽的变革

汉代由高祖开基，以至东汉末造，约在中国历史上行过四世纪的专制统治，其间，西汉或前汉占两世纪，后汉或东汉亦占两世纪，而区别前后汉的划时期事体，则是由王莽所行的种种变革。

王莽政权（西元九——二三年）产生的政治经济背景，主要是因为前汉自元成以降，豪强僭奢放纵，贵族官僚争为淫侈，以致兼并之风益炽，而农民愈困。本来汉代这种官僚主义的封建机构的形成，无非是适应农业生产力发展的要求。所谓“孝文皇帝承衰周亡秦兵革之后，故务劝农桑，帅以节俭，民始充实，未有兼并之害。”（《汉书·食货志》）由是“累世承平”，封建的专制体制，亦至武昭时代而愈臻完备，愈益集中化。但这种专制的局面，必然要产生统治的上层阶级的骄奢横暴，使已经发展起来的农业生产力，受到摧残与阻害；同时，因为统治阶层把社会财富都消费在不生产的奢侈支出上，致水利失修，灾害踵至；所谓“农民失业，怨恨者众，伤害和气，水旱为灾”云云，盖不外当时社会一般景象的写照。农民由怨恨而在前汉末造不断发动大大小小的叛变与暴动，故在那种封建统治弛缓与动摇的局面下，出身于皇亲国戚的王莽，乃轻轻把汉朝的统治权移到他手中了。

王莽政权在这种局面下产生出来，当然不能不思所以振衰起敝；他的改革的着眼点，是抑制豪强，抑制商人阶级，以期挽救农民的困厄，而稳定其统治。他的改革方案，大体为以次诸项，即（一）复兴井田制与禁止买卖奴隶，（二）六管制，（三）货币改革，兹分别述其梗概。

一、复兴井田与禁止买卖奴隶

据《汉书 · 王莽传》所说，王莽对于当时农民困顿的原因的认识，亦还算不错，他说：

> 汉氏减轻田税，三十而税一，常有更赋，罢癃咸出；而豪民侵凌，分田劫假，厥名三十税一，实什税五也。父子夫妇终年耕耘，而所得不足以自存。故富者犬马食菽粟，骄而为邪；

贫者不厌糟糠，穷而为奸……

这说明汉代减轻田税，实足以鼓励“豪民”的“侵凌”；他们把兼并侵夺的土地，租于贫农，索地租十分之五，而他们所给国家赋税，则不过三十分之一，故名为“三十税一，实什税五也”。国家因在赋税上所取较轻，乃在其他方面加重农民的负担，于是农民益困。但王莽对于当时社会的病源诊断虽然不错，可是，其药方却太乖违。他以为欲塞兼并，只有复兴井田，但复兴井田，必定要禁止奴隶买卖，所以他在始建国元年，即把这两件事体，连同发一诏令，其中有云：

古者，设庐井八家，一夫一妇，田百亩，什一而税，则国给民富，而颂声作……秦为无道，厚赋税以自奉，罢民力以极欲，坏圣制，废井田，是以兼并起，贪鄙生……予前在大麓，始令天下公田口井，时则有嘉禾之祥，遭反虏逆贼且止。今更命天下田曰王田，奴婢曰私属，皆不得买卖，其男口不盈八，而田过一井者，分余田予九族邻里乡党，故无田今当受田者如制度。敢有非井田圣制，无法惑众者，投诸四裔，以御魑魅。(《汉书·王莽传》)

他复兴井田制的详细实施方法，无从稽考，而同《王莽传》中只言其施行不久，“坐买卖田宅奴婢铸钱，自诸卿大夫至于庶民，抵罪者不可胜数”。结局经过区博的力争，说“井田虽圣王法，其废久矣，周道既衰，而民不从，秦知顺民之心，可以获大利也，故灭庐井而置阡陌，遂王诸侯，讫令海内未厌其敝。今欲违民心，追复千古绝迹，虽尧舜复起，而无百年之渐，弗能行也。天下初定，万民新附，诚未可施行。”

王莽原是一位复古大家；复兴井田，与禁止买卖奴隶，本来是为的缓和农民的反抗。今实行结果，致强豪贵介都感到危惧，因而使其上层统治机构发生动摇，所以他只好救济目前，在始建国四年，又来这样一道诏令：

诸名食王田，皆得卖之，勿拘以法；犯私买卖庶人者，一切勿治。

这一来，他的井田制度和禁止买卖奴隶的法令，算全部取消了。

二、六管制

六管制的设定，大体是企图由国家独占主要制造业部门，并统制市场。其所包括的六大部门，为盐、酒、铁、名山大泽，铁布铜冶，及五均赊贷。即对盐、铁、酒专营专卖，对采取山泽之物者，抽取赋税。五均之设，所以平准物价，并于人民需钱孔急时，赊借之。其旨趣则如次述：

> 夫盐，食肴之将；酒，百药之长，嘉会之好；铁；田农之本；名山大泽，饶衍之藏；五均赊贷，百姓所取平，仰以给赡；铁布铜冶，通行有无，备民用也。此六者，非编户齐民所能家作，必仰于市，虽贵数倍，不得不买，豪民富贾，即要贫弱，先圣知之其然也，故管之。（《汉书·王莽传》）

这六个项目之中，惟五均赊贷之法，较为复杂，王莽事必师古，这种办法，当然有他的来历。他的诏令是说：

> 夫《周礼》有赊贷,《乐语》有五均，传记各有斡焉。今开赊贷，张五均，设诸斡者，所以齐众庶，抑兼并也。

五均的办法是：

> ……于长安及五都立五均官。更名长安东西市令，及洛阳，邯郸，临淄宛成都市长，皆为五均司市，称师，东市称京，西市称畿，洛阳称中，余四都各用东西南北为称，皆置交易丞五人，钱府丞一人。

至诸司市的职务，则如次之规定：

> 诸司市常以四时中月，路定所掌；为物上

中下之贾；各自用为其市平，毋拘他所，众民买卖五谷布帛丝绵之物，周于民而不雠者，均官有以考核厥实，用其用贾取之；毋令折钱。万物昂贵；过平一钱，则以平价卖与民。其价低贱减平者，听民自相市，以防贵庾者。(《汉书·食货志》)

但五均官的职务，除平准市场物价外，还司对民借贷之职；关于借贷手续，其规定是：

民欲祭丧纪而无用者；钱府以所入工商之贡；但赊之。祭祀毋过旬日；丧纪毋过三月。民或欲贷以治产业者，均受之，除其费，计所得，岁毋过什一。(《汉书·食货志》)

在当时那种情形上，这些扶农抑商的办法也许不能说是完全错误，但他推行这些办法，却是引用的一般豪族富贾，所以愈弄愈糟。《王莽传》载“莽使中黄门王业领长安，市买贱取于民，民甚患之。”又《汉书·食货志》亦有类似之记载，谓“羲和置命士，督五均六斡，郡有数人，皆用富贾；洛阳薛子仲张长叔临淄姓伟等，乘传求利，交错天下，因与郡县通奸，多张空簿，府库不充，百姓愈病。”

当时百姓不但在其抑商政策上，受其所用富贾内官诛求之害，同时，凡采取鸟兽鱼鳖百虫于山林水泽及畜牧者，乃至从事各种小手工业小贩卖者，莫不为其巧立名目，课以重税。迨民怨沸腾，他乃于地皇三年下书，“开天下山泽之防；诸能采取山泽之物而顺月令者，其恣听之，勿令出税”。同一年度，他并议“遣风俗大夫司民宪等分行天下，除井田奴隶山泽六管之禁。即位以来，诏令不便于民者，皆收还之”（《王莽传》）。这是继土地政策以后的工商政策的结局。

三、货币改革

关于王莽一朝的货币，前已述其大略（见本章第六节），现在再加说明：

王莽在摄政当时，即已造大钱（径寸二分，重十二铢，文曰大钱五十）契刀（其身形如刀，长二寸，直五百）及错刀（以黄金错其文，直五千），与汉当时通用之五铢钱并行。后即皇帝位，以“刘”字由“卯金刀”合成，于是契刀错刀及五铢钱皆罢，而更制金银龟贝钱布之品，即以前述过之二十八种货币。但名目繁多，民大不便，“莽知民愁，乃但行小钱，直一，与大钱五十，二品并行，龟贝布属且寝”。至百姓称便的五铢钱，彼仍以重法禁止其挟持流布。

至地皇二年，复又因大钱太大，小钱太小，又罢大小钱，更行货布与货钱两品，前者直货钱二十五，长二寸五分，广一寸；后者枚直一，径一寸，重五铢，两品并行。附此两品通行之法令是：“敢盗铸钱及遍行布货，伍人知，不举发，皆没入为官奴。”此令甫行一岁，民犯铸钱伍人相坐，没入为官奴婢，其男子槛车，儿女子步以铁锁，琅珰其颈，传诣钟官，以十万数，到者易其夫妇，愁苦死者十六七。

以上三项，是王莽一朝变革的轮廓，他的土地政策，曾被今之学者目为“社会主义者”的措施，如胡适之就曾如此主张过；他的工商政策，亦曾被今之学者视为国家统制主义或国家社会主义政策，如李权时就曾如此说过，但这与其谓为这类学者不了解王莽土地政策工商政策的实际，就宁不如谓其不懂得社会主义或国家统制主义的根本意义。——不过，这里用不着进一步予以说明。

王莽除上述改革外，对于复兴井田相伴发生的封土制禄的把戏，亦当然要过。在始建国四年，他曾至明堂授诸侯茅土，其大要为公一国，侯一国，子男一国，各有众户；至于利禄之规定，由天凤二年颁布者，计为四辅公卿士大夫下至舆僚凡十五等，僚禄一岁六十六斛，稍以差增，上至四辅而为万户。

总之，“政令日变，官名月易，货币岁改，吏民皆乱，不知所从”（《后汉书·隗嚣传》）。这是当时种种制度变革的实情。他这些“非徒无益而又害之”的变革，结局只造出了民心思汉，致光武出来重行前汉初期的“节用而爱人”的农桑政策。所以由恢复社会生产力要求而导来的东汉中兴局面，在光武明章之世，显示了西汉文景武昭时代的景象。因此，王莽一朝的变革，实与当时社会经济无何等直接影响，极其限，不过是促使东汉官僚主义的封建体制，容易实现而已。

第八节　中央集权的官僚主义的封建制度之成立

汉代的官僚主义的统治机构，在前汉末造与后汉末造，虽都表示了“强弩之末”的现象，但通体而论，中央集权的求心的封建体制，却终于在前述经济实际要求的情况下，成立起来。而那种封建体制之集权的求心的实质，可由汉代诸侯地位的变化而得到说明。

在最初，所谓列侯云者，不但食禄于其所受封之邑，并且以自己之臣，从事治民职务，发布政令。若以虚名而受廪禄的，不过关内侯罢了。

然至西汉景帝武帝以后，即诸侯王亦不得治民，皆由中央置内史治之。至是诸侯王只算食于其所封之邑，而无君国子臣民之实。其他如列侯是更不待说了。

然在西汉时代，列侯尚分封有土地，及至东汉，列侯并不曾取得国邑，只佩起侯印，以领受“干薪式”之俸廪而已。列侯与关内侯殆无区别。

诸侯王或列侯对于中央的关系，自西汉文景时代以后，即逐渐进于求心的发达。而其间推移演化之经纬，可于以次诸事实征之。

一、推恩之令

此令行于武帝之世。汉代“天下初定，骨肉同姓少，故广强庶孽，以镇抚四海。用承卫天子也。汉定百年之间，亲属益疏，诸侯或骄奢，忕邪臣计谋为淫乱，大者叛逆，小者不轨于法”。于是自吴楚叛乱发生以后，景帝即削吴楚，武帝更师其意，下推恩之令，即“使诸侯得推恩，分子弟国邑：故齐为七，赵分为六，梁分为五，淮南分三；及天子支庶子为王，王子支庶为侯。”这样推恩的结果，由是“大国不过十余城，小侯不过数十里，上足以奉贡职，供养祭祀，以蕃辅京师，而汉郡八九十，形错诸侯间，犬牙相临。秉其阸塞地利，彊本干，弱枝叶之势也”（见《史记·汉兴以来诸侯年表》）此势既成，诸侯乃不能不听中央随便支配。

二、酎金律

酎金律为文帝所设。所谓酎金，乃诸侯王为了制作每年十月荐庙烧酎，而献纳于朝廷的黄金。而酎金律则是对于那些不依法献纳酎金者，即削其国，县，邑之规定。然在实际上，不依法献金者，固不必说，即所献金分量不足，或成色稍恶者，亦往往要受到除爵削国之处分。“坐宗庙酎金而失侯者尤众”，专制之权威，实发挥尽致。

三、任意黜陟

因为专制权极大，故对于诸侯的黜陟，可任意施行。例如在武帝之世，依高祖非功不侯之制，以功封侯者，计达七十五人，但至其临终之顷，失侯者已六十八人，勉强保存的，不过七人罢了。又武帝时依推恩令新封的王侯子弟，有一百七十五人之多，至他辞世时，失侯者达一百一十三人，保全者仅五十七人。此外以外戚关系封侯的九人当中，末了也只保留下三个。

又如在宣帝之世，命有司求高祖功臣——受封者百四十七人——之失侯者，所得为百三十六人。即在百余年间，高祖时之功臣封侯者，竟大部分失其侯爵禄位，所残下的，不过十一人罢了。

四、治事权之剥夺

在汉高帝十二年，原诏列侯皆得自置吏，自行赋敛。就本来的组织而言，诸侯王之邦国，通有辅导王之太傅

（后单称傅），主统众官之丞相（景帝改革诸侯制度组织后，单称相），纠正百官错误之御史大夫，掌武事之中尉，掌舆马牧畜之太仆（后单称仆），还有掌租赋米粮之大司农（汉初为大农令）。就中除太傅丞相而外，其余御史大夫以下，皆由诸侯王自置。

然至景帝时，丞相改称相，且令诸侯王不得干预政事，一切政事，由朝廷自置内史治理。而从来诸侯王自行设置之御史大夫，廷尉，少府，宗正，博士等官，则统予裁去。延至武帝，诸侯王所属之一切官职，皆限制其不得自置。到了成帝的时候，内史又被裁去，以相治民与当时治理人民的郡守无别。由是治事之权，完全集中于皇帝及其官吏。

其他大体具有诸侯王同一组织之列侯国，亦无疑系经过同一过程，而统合于中央集权组织中。

五、受封者不就国

在文帝之世，列侯多居长安邑，文帝曾命其就国。然自吴楚七国乱作，景帝剥夺诸侯王治事之权，因而对于列侯皆令其勿就国，留置于京师，由是，诸侯都变成不管领主，或挂爵遥领，然已实无所领也。

要之，中国汉代的封建诸侯王，自景帝武帝以后，不过能衣食租税罢了。太史公所谓“强本干，弱枝叶之势”，盖不外中央集权的专制主义的局面。

东汉光武帝中兴后，亦仿西汉制度。即王侯列侯虽存，但多留居京师。王国有傅，相，内史诸官，傅相秩禄为二千石。列侯之国有相，但相在治民上，并不从属于列侯，他不过对列侯依限定的户数，而征纳以租赋罢了。

我们把汉代这种封建形态，与西周那种分治领土领民的初期封建形态一加比较，就知道此两者间存有颇大的差异之点，但他们依土地而对农奴行使剥削的基本经济事实，则不因其形式而有何等本质的改变。就因此故，西周由氏族血属关系变形化的宗法组织，到汉代仍旧用以充当其连属封建内部机构的纽带；并且，自武帝罢黜百家崇尚儒术以后，儒家以宗法之义理为核心，而阐扬的忠孝之道，确实在意识形态上，为此后封建的专制统治形成了一个有力武器。即依儒教教义而行的统治制度，对于中国人民实尽了熔矿炉的任务。那由父家长制的家族关系的规准，全面的荫蔽着封建的掠取。因之，封建的官僚，就容易把人民对于压制者所行的一切反对运动，农民对于官僚的封建主义所行的一切暴动，转化为官吏的插话式的交代。

> 中国的社会，是常由邻接的游牧民族的来寇，由封建榨取过重所形成的自然的灾害，以及由数百万的农民的不得已的逃散，而不绝发生震荡的。在这种极混浊的社会关系的地盘上，儒教乃是使一切矛盾归于钝化的最重要的有效手段。……它一方面，向着官僚的封建主义，使其持有自信力，即使其相信一切趋于腐败的基础的巩固，他方面对于一般农民，则不管其所遭值的悲惨生活如何，只教其习于父家长的从顺。（参见沙发诺夫著，早田二郎译:《中国社会史》，第八八页）

因此儒教在汉代确立其优越地位的事实，那是于汉代封建统治，以及于汉代以后的同一形态的封建统治，具有莫大的意义与影响的。

第五编

中古分立的封建局面的出现

第一章　一般经济变动状况

第一节　序说

封建制度是在不绝依其内在矛盾，而变易其活动方向，而改变其形态的。所谓封建制的“向心力与离心力的发展”，就是说明这种趋势的。

中国在西元前三世纪，以至西元后两世纪间所形成的封建局面，大体是中央集权的向心的，但由第三世纪以至第六世纪的末造，封建局面改变了，一般的是趋向于离心的发展。以历史朝代的顺序而论，后者所包括的朝代，是由汉末魏晋以至于南北朝，其间的经历有三个半世纪乃至四个世纪。

封建制度到了汉代末年，何以竟会转向离心的发展，那是需要从其经济基础来说明的。

在中央集权的统一局面下，农业劳动生产力当然会因治水和灌溉的设施，以及耕作方法与技术的改良，而有莫大的发展。农业的发展，对于封建机构，虽然算奠下了最可靠的基础，但同样在统一局面下发展起来的商业，却必然要为农业发展，设下一定的限界，从而为集权的封建体制本身，投上一大暗影。

因为在这封建局面下的全商业循环，是以庞大的物质——如谷物，米，丝，大麻等为依据，从而现物地租，就成为商品货币关系发展的基础。以此现物地租为基础的商业循环的扩大，必然要因加强封建利润的追求，加强封建的榨取，而破坏农业发展的基础，而在此种过程上破坏农业发展基础所取的方式，则是照着以次的程序展开的。

农业劳动生产力的发达，一方面会促成商业循环的扩大，引起豪民并吞趋势的加强，同时则依着现物地租成为商品货币关系之基础的事实，使封建权力集中化，并使其由保障商人阶级利益，保障豪民利益，而显示出异常浓厚的商业性质。事实上，官僚，豪民与商人阶级同为构成封建上层机构的要素，他们活动的方面虽不同，彼此间并无绝对的分野，在某种场合下，商人也变为官僚，也变为豪民；在官僚，在豪民，也是如此。

诚然，汉代往往曾推行重农抑商政策，这表示封建贵族官僚在意识到农业为其直接寄生基础，而不能任其横受摧残的时候，也不免对商业资本采取敌视的态度，但在现物地租成为商品交换基础的限内，在社会生产力发达，必然附有富之蓄积与所谓豪民发达的条件的限内，由上面推行的抑商政策，定然会引起农民更大的痛苦，从而会进一步促起豪民对于土地的兼并。

因为，商人由抑商政策所受到的损失，最后只好取偿于农民，农民在多方诛求之下，只好把他们仅有的土地，以更恶劣的条件，贡献于豪民地主。

封建主义在这种向着商业“斜倾”的过程上，整个统治阶层——贵族官僚豪民商人——都会尽可能的从事不生产的消费，结局，包括着治水事业的一切劳动条件的再生产，渐渐成为不可能，由是天灾水祸，由饥饿压迫而惹起的农民的流亡暴动，以及继是而到处发生的战乱，乃从根底上破坏现物地租，破坏商品货币关系的基础，结局，集权的封建机构解体。——汉代集权封建统治的倒坏，无非是依着这种社会的自然法则而演化过来的。

一般经济破坏，国力衰退，由是乃引起外部的干涉；西晋之见迫于五胡，要不外当时甫经汉末，三国时代的长期扰乱，以致无力抵御外敌的结果。南北两朝对峙的局面形成，一般经济状况乃因均田制之实施，而渐形成改进。以次诸节，就是要把西元三世纪至六世纪，即魏晋南北朝社会的一般经济状况，分别划一个轮廓。

第二节　谷帛经济之复归

所谓谷帛经济，实即自然经济之别称，不过其意义较有限界罢了。在两汉之世，货币经济已有相当发达。然后由三国以迄南北朝时代，此种货币经济萌芽，全被蹂躏。而西周“抱布贸丝”的局面，重复表现出来。

三国魏文帝黄初二年（西元二二一年）罢五铢钱使人民以谷帛为贸易媒介。至明帝时（西元二二七——二三九年）因人民皆以湿谷及薄绢以贸利，虽临以严性而犹莫能禁止，所以司马芝等提议铸钱，以为“用钱非徒丰国，亦所以省制”；于是乃复作五铢钱，但其通行范围只及于魏境。刘备在夺取巴蜀的当时，曾依刘巴之计，铸值百钱，致“旬月之间，府库充实”。东吴亦曾分别铸值五百值一千之大钱，但后因人民不便，竟不复铸，并将已铸者销铸为器。

西晋承用魏之五铢钱，东渡以后，应否用钱，曾一度成为一般朝臣之议题。在安帝时，桓玄欲废钱用谷，孔琳之力言其不可，“……魏明帝时，废钱用谷，四十年矣，以不便于人，乃举朝大议。精才达识之士，莫不以宜复用钱，下无异情，朝无异论。彼尚舍谷而用钱，足以明谷帛之弊，着于已试也”。由是仍继续用钱。

其在当时混乱不堪的北方，则大抵不用钱。如《晋书·石勒传》记有“……公私行钱，而人情不乐，乃出公绢市钱”之说。前凉张轨太府参军索辅亦谓“晋太始中河西荒废，遂不用钱。”迨南北朝对立之局面形成，渐通行铸钱，但一般币制紊乱达于极点，其显而易见者，不出以次二途：

第一，政府铸币之目的，不在使“物畅其流”，而在牟利，故所铸币之法定价格，与其价格大相悬殊。于是私人盗铸者，所在皆是，虽严刑临之而莫禁。

第二，私铸愈多，“薄滥益甚”，于是政府因挽救无法，类皆改铸他钱，更换名色，结局，钱之效用全失，用钱者均折合布帛或他实物。

不但如此，南北各朝代用钱的范围，本来就不普遍。如梁初惟京师及三吴，荆，郢，江，襄，梁，益用钱，其余州郡，则杂用谷帛交易。陈初承梁丧乱之后，铁钱不用，间以锡钱及布粟交易，而岭南诸州，交易多用盐，米，布，不用钱。后魏初至太和百年余间不用钱，孝文帝太和十九年虽铸“太和五铢”，然河北诸州，犹多用实物交易。

总之，由三国晋以至南北朝时代，大体皆系以谷帛交易，而用钱反为例外；并且，所用之钱，不但不为现物交易之尺度，且反而要折合谷帛等现物然后始得流通。故这个时代的经济，差不多是以自然经济为特征。

第三节　农业诸生产力的破坏与恢复

中国古时代所以发生上述那种复返于谷帛经济的现

象，其主要原因，不外汉末以来的劳动条件的再生产，或者特别是关于农业上的诸生产力，都在汉末专制的残酷榨取，及由是而导来的农民暴动，在三国内战乃至五胡侵扰的动乱局面下，全被摧残破坏了。生产力的主体要素为劳动人口。劳动人口由战乱、水旱灾所削减的程度，至为可惊，下表即可示其梗概：

时代	户数	人口
后汉桓帝时（永寿二年，西元一五六年）	16,070,906	50,066,856
三国时代	（大略）1,473,433	7,672,881
晋武帝时代（太康元年，西元二八〇年）	2,459,840	16,163,863
南北朝 宋武帝（大明八年，西元四六四年）	906,870	4,685,501
南北朝 北魏（后魏）末年	3,375,368	

三国时代的户数，不到汉末桓帝时代十五分之一，人口数则不到六分之一。无怪陈群在魏明帝时，谓“今丧乱之后，人民至少，比之汉文景之时，不过一大郡。”人口户数如此破灭的减少，对于统治阶级当为莫大的打击，所以此后无论在三国南北朝的分立局面下，抑在晋代的统一局面下，都极力设法恢复农业生产力，并对于汉末久经荒弃的治水灌田事业，亦多讲究。故由三国以迄南北朝时代，其间虽饱经战乱，而全国之户数与人口，

却仍有缓慢的增加。

不过，讲求水利，只算恢复农业的一个条件：当时最切要的问题，即为土地制度问题。晋代所行的占田制，特别是北朝所成立的均田制，皆为当时关于土地制度的紧要处置。事实上晋代及北朝的封建机构，大体是建立在这种占田制或均田制上面。但就此等田制对于后来的影响，及其在当时通行的范围与实效言，均田制实为中古分立封建局面下的一个最显著的经济制度。

第二章　均田制

第一节　屯田与井田复兴论

三国承汉末黄巾之乱，及以后相续发生的兵祸，致人民丧亡流离，田地荒芜。迨魏蜀吴三国鼎峙之局面形成，彼此都以军粮不足为苦。于是应急的屯田方法，乃为各国分途采行。

魏武帝在荡平黄巾乱党以后，即依羽林监枣只的建议，下令屯田，谓“……定国之术，在于强兵足食，秦人以急农兼天下，孝武以屯田定西域，此先世之良式也。”于是乃募百姓屯田许下，得谷百万斛；郡国列置田官，数年之中，所在积粟。以后魏武因有事于东南，又在合肥开芍陂屯田。迨司马懿伐吴，邓艾又谏其屯田淮上，懿用其策而收到莫大效果。

蜀汉诸葛亮由斜谷伐魏，屡以军粮不济而功败垂成，后虽决定分兵屯田渭滨，以为持久之计，但因亮不久死去，而屯田亦罢。

吴孙权自开基东南，即实行务农重谷，但因“干戈未戢，民有饥寒”（陆逊语），故至孙休时，犹以“良田渐废，见谷渐少”，而欲“广开田业”。

要之，三国时代复兴农业之措施，以屯田为最显著，而屯田或“广开田业”之动机，则不外由足兵足食政策，以增加其对外争衡力量。所以这都只算是军事时期的应急处置，而迄未触到根本的土地政策。

在魏武帝曹操的时代，司马朗曾力言复兴井田制，他以为田地为人民累世的产业，要从他们手中夺过来恢复井田，当然非常困难。然在甫经大乱的当时，人民流离分散，土业无主，皆为公田。他以为这是恢复井田的绝好机会。

他的建议是未蒙采择的，但他所认定的恢复井田的理由，却为此后晋及北魏改革田制的根据。

第二节　晋之占田制

晋承魏之社稷于农田水利多所讲求。武帝秦始四年，曾诏令“四海之内，弃末反本，竞农务功”，同年，并“立常平仓，丰则籴，俭则粜，以利百姓”；翌年，又“敕令郡国计吏诸郡国相令长，务尽地利，禁游食商贩”。然是时东吴未平，其着意之点，仍在充足军食，故于屯田特别注意。咸宁元年诏云：“出战入耕，虽古之常道，然事力未息，未尝不以战士为念也。今以邺奚官奴婢著新城，代田兵种稻，奴婢各五十人为一屯，屯置司马，使皆如屯田法。”（《晋书 · 食货志》）

迨东吴灭亡，天下统一，于是乃对全国农业，作根本久远的打算，所谓占田制，即于此时产生。占田制是由国家分配耕地的制度，故其前提为土地国有。

此种制度在表面上殆与古代井田制相同，所以有人认为这是井田制的复活。然而此两者之历史的经济的基础，是判然各别的，古代井田制是以社会诸生产力——人口，农具，耕作方法，农学的知识等等——的极不发达为前提，而在占田制，则社会诸生产力已颇称发达，不过以人口为首的生产力的诸要素，因经历战乱水旱灾的破灭的破坏，故欲推行此种制度以图恢复罢了。

三国时代的人口的激减状况，前章已经讲过了，由人民流离丧亡而残下的无主土地，早为国家所有。晋武帝为图复兴农业以奠定封建机构的经济基础，故把这些国有土地，配分于劳动人口，以强制其耕作。从而，像这种制度的推行，并非夺富者之田以予贫民的变革，极其限，不过一种因势利导的救济方策罢了。

这种田制可从两方面观察：一是对平民所行的公田的分配与税法，一是对贵族官吏所规定的占田的限制。

一、平民的公田分配与税法

平民所配分的公田，计“男子一人占田七十亩，女子三十亩，其外丁男课田五十亩，丁女二十亩，次丁男半之，女则不课。男女年十六以上至六十为正丁；十五以下至十三，六十一以上至六十五，为次丁；十二以下六十六以上，为老小，不事”（《晋书 · 食货志》）。即十二岁以下六十六岁以上，则不受田，其余男女长幼有差。至还受之法不详。

平民由国家受其公田的大体规定如此，至其为国家所课加的赋税负担，则详载于当时所制户调之式中，“丁男之户，岁输绢三匹，绵三斤，女及次丁男为户者半输”（《晋书·食货志》）。此种税法，显系将汉代所行的田赋与户口赋予以统一。因岁输绢绵，属于户口赋，而对前述课田（即类似井田制度上，依徭役劳动或力租所耕作之公田）所提供的劳动，则是所谓田赋。所以马端临氏说：“按两汉之制，三十而税一者，田赋也，二十始传，人出一算者，户田之赋也，今晋法如此，则似合二赋而为一。”（《通考》卷二）

二、贵族官吏占田的限制

晋初所封诸侯，多留京师，于是关于彼等在京师所置田宅，不能不予以限制，有司谓“王公以国为家，京师不宜复有田宅。今未暇作诸国邸，当使城市中有往来处，近郊有刍藁之田，今可限之，国王公侯，京师得有一宅之处，近郊田，大国田十五顷，次国十顷，小国七顷。”（《晋书·食货志》）至于官吏，则依其九等品级占田：第一者占五十顷，第二品四十五顷，第三品四十顷，第四品三十五顷，第五品三十顷，第六品二十五顷，第七品二十顷，第八品十五顷，第九品十顷。至于各品所应有之佃客，亦予以规定：官品第一第二者，佃客无过五十户，第三品十户，第四品七户，第五品五户，第六品三户，第七品二户，第八品第九品一户。

对平民配分以适当面积之田，对贵族官僚于限定其占田外，更限制其佃客，以阻止其兼并与任意奴役平民，所以史称“是时天下无事，赋税平均，人咸安其业而乐其事”（《晋书·食货志》）。

但这种田制的推行，在当时那种土旷人稀和田地荒芜的景象下，虽然大有助于农业的昭苏。但其实际推行的程度如何，范围如何，却仍不能不残下许多疑问。晋承汉末三国乱离之后，以前盛行于汉代的并有广大面积土地的豪民，诚然随着农奴们的流离丧亡而相继归于倾覆，但如谓魏末晋初全没有豪民存在，亦似乎难于相信。而且一般平民是否都配分有公田，贵族官僚的土地，是否都能依照占田的限制，亦殊难说定。当石崇被诛时“有司簿籍崇水碓三十余区，仓头八百余人，其他珍宝货贿田宅称是”（《石崇传》）。由此不难想见石崇所占田宅之多。《刘颂传》中“有豪强兼并，孤贫失业”之说，《刘弘传》亦谓“今公私兼并，百姓无复措手地”。是知占田之行，并不曾实行阻止住兼并。事实上，占田法颁布不到二十年岁月，八王之乱即已发生，接着五胡蹂躏，中原又复陷入混乱状态。

东晋对以前由课田征取徭役劳动或力租之办法，至成帝时（西元三二六——三四二年）即改为按亩定税，其比率为什分取一。每亩三升。后因水旱频袭，在哀帝时（西元三六二——三六五年）减为每亩税取二升。后由孝武帝废止度田收租之制，每口取三斛，此税额后更增加至五石。——田地税法如此常常更改，可见当时占田制已早弛而未行。

要之，晋代的占田制，是始终未彻底推行过的，但我们却并不因此就完全忽视其对于当时农业所尽过的昭苏的功能。

第三节　北朝均田制的成立

晋代占田制，由中央集权的分解，由不绝的战乱，以及由强豪的兼并，而不得不归于瓦解。此后至南北朝时代，南朝历二百年间，其田制税法无何等值得记述之点。但同时由诸种蛮族国家所形成的北朝，却由西元第四世纪末至第六世纪初，在支配中国北部的北魏统治下，实施均田制度。均田制与晋代施行的占田制，本有不少类似之点，但其规定较为详密，而且实行上收到了较大的成果，所以这被历史家看为井田制度崩坏以后的最切实的公田制度。

均田制由北魏创始，此后北齐后周均仿行，故分别述之。

一、北魏的均田制

北魏是由鲜卑一部族所树立的国家。在建国以前，他们是游牧民族生活于氏族制度之下，拓跋圭起于代北，即代王位，于西元三八六年建设代国。此后更于西元三九六年称皇帝，至三九八年改代称魏，彼即魏之太祖道武帝。据《魏书·食货志》所称，太祖既定中山，即“分徙吏民及他种人工伎巧十万余家，以充京都，各给耕牛，计口授田”。但这只算是均田制的影子，正式的均田制，差不多是在此后百年，即孝文帝（西元四七一——四九九年）太和九年（西元四八五年），方始颁布实行的。

北魏能实施均田制，那主要是根据以次几种理由：第一，它本来是由氏族部族所建立的国家，氏族社会的生活习惯与其他传统，颇宜于施行这种制度；第二，则如李安世建议实行均田制之奏疏中所说，“州郡之民，弃卖田宅，漂居异乡，事涉数世，……庐井荒毁，桑榆改植……强宗豪族，肆其侵凌，远认魏晋之家，近引亲旧之验。……争讼迁延，连纪不判。良畴委而不开，柔桑枯而不采。侥幸之徒兴，繁多之狱作，欲令家丰岁储，人给资用，其可得乎？”其实第三，当时问题之严重，与其说在田地所有的争执，却毋宁说在田地无人耕种，或田地由豪强兼并侵夺，势将影响国家的财政收入。此外晋代所行的占田制或者于均田之推行，亦不无多少影响罢。

均田制大抵可分两点解释：（一）均田的规制；（二）税法。现在先述第一点。

（一）均田的规制　关于均田全般轮廓，照太和九年的诏令是这样：

……均给天下民田，诸男夫十五以上受露田四十亩，妇人二十亩，奴婢依良丁。牛一头，受田三十亩，限四牛，所授之田率倍之，三易之田，再倍之，以供耕作及还受之盈缩。诸民年及课则受田，老免及身没则还田。奴婢牛随有无以还受。诸桑田不在还受之限，但通入倍田分，于分虽盈，没则还田，不得以充露田之数。不足者以露田充倍。诸初受田者，男夫一人，给田二十亩，课莳余种：桑五十树，枣五株，榆三根。非桑之土，夫给一亩，依法课莳榆枣，奴婢各依良。限三年种毕，不毕，夺其不毕之地。于桑榆地分杂莳余果及多种桑榆，不禁。诸应还之田，不得种桑榆枣果，种者以违令论。地入还分诸桑田，皆为世业，身终不还，恒从见口。有盈者无受无还，不足者受种如法。盈者得卖其盈，不足者得买所不足。不得卖其分，亦不得买过所足。诸麻布之土，男夫及课，别给麻田一亩，妇人五亩，奴婢依良，皆从还受之法。诸有举户老小癃废无受田者，年十一以上及癃者，皆授以半夫田，年逾七十年，不还所受。寡妇守志，虽免课，亦授妇田。诸还受民田，恒以正月。若始受田而身亡及买卖奴隶牛者，皆至明年正月乃得还受。诸土旷民稀之处，随力所及，官借民种莳，后有来居者，依法封授。诸地狭之处，有进丁受田而不乐迁者，则以其家桑田为正田；又不足，不给倍田；又不足，家内人别减分，无桑之乡，准此为法。迁者听逐空荒，不限异州他郡，惟不听避劳就逸。其地足之处，不得无故而移。诸民有新居者，三口给地一亩，以为居室，奴婢五口给一亩，男女十五以上，因其地分课种五分亩之一。诸一人之分，正从正，倍从倍，不得隔越他畔。进丁受田者，恒从所近；若同时俱受，先贫后富，再倍之田，放此为法。诸远流，配谪，无子孙及户绝者，墟宅桑榆，尽为公田，以供授受，授受之次，给其所亲，未给之间，亦借所亲。诸宰民之官，各随所给公田：刺史十五顷，太守十顷，治中别驾各八顷，县吏郡丞六顷，更相代付，卖者坐如律。(《魏书·食货志》)

上述这种均田办法，大体有四个要点：(甲)受田种别，(乙)还受规定，(丙)一般限制，(丁)变通办法。兹大略解述如次：

(甲)受田种别　平民所受之田有露田(即不栽种桑榆等树的敞田)，有桑田，有麻田，此外对新居者还每三口给一亩土地为其宅地。

(乙)还受规定　以田别讲，还受之田，只限于露田麻田，诸桑田不在还受之限。人民达到了课赋的年龄，即行受田，老迈及身没则还田。若依奴婢与牛而受得之田，则随牛与奴婢之有无以定还受。每年正月为还田受田之期。

(丙)一般限制　已受田者，在地足之处，不得无故迁移，更不得为避劳就逸而迁移；平民仅及定限之田不得卖，田已达到应受定限不得再买。至宰民官吏在职受给之田，当去职时，即当移交后任，而不得有变卖情事。

（丁）通融办法　北魏的均田规定，决非完全破除私有制度的变革，故其所授之田，非由富者手中夺取过来，大体上，不过是将无人耕种之田，依一定规则，分配于无田耕种之人罢了。所以此制对于田地有盈者，即其田地超过额定限度者，则不受不还。并且，虽于上述限制上禁止买卖，但田不够定限者，或田已超过定限者，甚且鼓励其买卖。不但此也，在土广人稀之处，一个人能耕多少，则听其耕种多少，而那些愿意迁移到这种地方耕种的人，亦不受上述的限制。此外，一个人所受之田，虽不得逾限，但他如多买几个奴婢，或者设法多备几条耕牛，他所受得的田地，就可增多到某种限度了。我敢说，均田制的根本精神，全存于他这些变通办法中；即均田制所由定立的最后目的，不在求其财产之平均，而在力求生产额的增加，在企图国家收入之增加。此中消息，可由其税法而征知。

（二）税法　均田制在本质上可视为一种半徭役制或半力租制。当时的税法，可就田租，调，及其普通徭役三项分述：

（甲）田租　北魏在孝文帝太和以前，一夫一妇之租，为粟两石，家中有十五岁以上之未婚者四人，出一夫一妇之租，奴婢八人出租，与四人未婚者相当，耕牛十头出租与奴婢八人相当。至太和八年以后，一夫一妇之租，增额至二石九斗。

（乙）调　据《魏书·食货志》所载，民调一夫一妇，帛一匹，民年十五以上未娶者，四人出一夫一妇之调。奴婢八人帛一匹，耕牛十头帛一匹。麻布之乡，一夫一妇布一匹，下至牛以此为降。大率十匹为工调，二匹为外费，三匹为内外百官俸，此外还有杂调。

（丙）普通徭役　当时人民除了以上的定规负担外，还有为军役，治水以及一般土木工事而提供的徭役劳动。当时为求徭役劳动的彻底施行，曾将村落予以组织。魏初原为一部族统制社会，这种社会系由拥有多数奴隶的多数家族的共同体所形成。此共同体即为三五十家所合成之一户谓之荫附。荫附者不载于户口籍中，故无官役，由是“民多荫附”，以期免除官役。此弊既生，终乃于太和十年依给事中李冲的建议，重新编组村落组织，设三长制，即五家立一邻长，五邻立一里长，五里立一党长，长取乡人强谨者。此种编制成立，于是避赋逃役之弊情，乃可免除。而对于均制田之实施，亦有莫大的帮助。

二、北齐的均田制

魏在第六世纪之初，分裂为东魏西魏，以后东魏交代于北齐，西魏交代于后周。北齐后周都行均田制。北齐之均田制，大体系沿袭北魏旧法，特曾加以若干变更，兹就其土地分配法，还受法，以及税法加以解述。

（一）土地分配法　大体上是一夫受露田八十亩，妇四十亩，奴婢依良民限数受田。牛一头受田六十亩，以四头为限。又每丁给二十亩为桑田，此桑田为其永业，不在还受之限，设土地不宜种桑，则给麻田，如桑田法。由此诸方面考察，即知北齐对于土地的分配，在限度上，在授田种别上，都与北魏制互有出入。特别是关于奴婢受田之点。但奴婢所受之田，虽随良民限数，而较北魏所授者为大，然北齐对于奴婢数，却设下了限制。即“奴婢受田者，亲王止三百人，嗣王止二百人，第二品嗣王以下及庶姓王止一百五十人，正三品以上及王宗止一百人。七品以上限止八十人，八品以下至庶，限止六十人”（《隋书·食货志》），若额定以外的奴隶，不受田，亦不负担受田所应担的租赋义务。

（二）还受法　男子年达十八而受田，女子结婚而受田，至六十岁还田。其还受之期，在每年十月。其所受田地，不得买卖。

（三）税法　男子由十八岁起，负担调义务，二十岁起，征其力役，力役至六十岁免除，而租调义务则在六十岁还田时免除。至租调额数，一夫一妇纳垦租——即输纳中央政府者——二石，义租——输郡以备水旱灾荒者——五斗，合计两石五斗。一夫一妇之调，绢一匹，绵八两。奴婢各各输良民之半额，每牛一头，纳调二尺，垦租一斗，义租五升。

在推行此种田制税法过程中，同时当然不能不注意到村落方面的组织。北齐的村落组织，大体系沿北魏之旧，不过单位所含的户数较多罢了。即北齐以十家为比邻，五十家为闾里，百家为族党。

三、后周的均田制

后周田制与税法之轮廓，就以次两点说明。

（一）受田规定　民由十八岁起受田，至六十五岁还田。有室者受田百四十亩，单丁受田百亩。此外凡十人以上，受宅地五亩，七人以上四亩，五人以下三亩。

（二）税法　人民自十八岁至六十四岁，皆负有租调义务。有室者，纳田租五斛，调绢一匹绵八两。无桑田而有麻田，则纳麻布一匹，麻十斤，未成门立户之单丁，则各各纳有室的半额。以上丰年全征，中年半征，下年征三分之一。

至关于力役或徭役劳动，则有极明确的规定，凡人民自十八岁至五十九岁，皆须提供徭役。计丰年不过三旬，中年则二旬，下年一旬。但征徭役时，一家不过一人；其人有年八十者。一子不从役；有年百岁者，家不从役；废疾非人不养者，一人不从役。

观此，后周关于力役之规定，其见于载籍者，实较北魏北齐为详。然而就全般的田制立论，则与两者尚有一显著不同之点，即后周授予人民之土地面积较广，且对于奴婢无授田之规定。

第三章　中古分散的封建制

第一节　曹魏时代

在三国时代，曹魏占着旧来中国文化中心地域。当时虽然有蜀汉据有以四川盆地为中心的扬子江上游，由孙吴领有扬子江下游地域，但自魏王曹丕于西元二二〇年承受东汉献帝的禅让后，他毕竟是当时中国最有力的支配者。他对于曹氏子弟及功臣，分别封为诸侯王和列侯。

一、诸侯王

太祖曹操的二十五男中，有十七人各各受封有数千户，而文帝之子，有八人受封。受封者差不多皆为一县王。

二、列侯

功臣多封为乡亭侯。

曹魏封建制度值得附言者，约有以次诸点：第一，诸王所有的食邑，不过一县之广。其规模如此狭小，盖不外魏朝所有的户口数，不及汉代盛时十分之一，即在西汉盛时的户口数为一千余万，魏承大乱之后，所领者仅及六十六万罢了。第二，魏之封建制，徒有王国之名，而无其实，实权皆握于州牧郡守，彼等皆跨有千里之土，兼军武之任。第三，两汉之户赋颇轻，魏晋以来则渐加重，因当时受封者皆食户赋，天下户口减耗，十仅存一，故非加赋不行。

第二节　晋（西晋东晋）时代

继三国时代而出现的两晋时代，前后约包括有一百五十余年（西元二六五——四二〇年）。在曹魏时被封为晋王的司马炎，于西元二六五年受魏帝曹奂之禅，即帝位，而为晋武帝。

晋有王，公，侯，伯，子，男六等封爵。司马氏子弟及功臣，则各各封以郡，县，乡亭的王公。其数颇多。例如在武帝受禅之初，即封子弟二十余人为王。彼等皆以郡为国。邑二万户为大国，置三军，兵五千人。邑万户为次国，置二军，兵三千人，邑五千户为小国，置一军，兵一千五百人。对于皇子辈封王，对于多数功臣，则分别封以五等之侯，至西晋末年，天下守令皆封侯。

晋代所封王公，在先皆留住京师，不就国，至咸宁三年（西元二七七年）乃诏彼等悉归所封之国。由是，彼等遂实行握有兵马之权，并得自行选任其领属国内之长吏。

本来司马氏自身是由魏国一个地方豪族发迹起来，它虽然一时把天下统一，而实际已经贯彻了分散的封建制的倾向。其所封诸王与豪族，皆逐渐成为离心的封建领主。所以八王之乱作，晋代即在宗室诸王互相混战之下，归于瓦解。这种瓦解局面，距离开始分封诸王时，仅及半世纪罢了。

自是，自太古中国文化发端以来，即长期占有中国文化中心地位的中国北部，乃为外部侵入的诸蛮族所支配。在汉代盛时，随生产渐次向上而育成的分散的封建势力，到后汉末叶，已破坏集权的专制统制，而现实化；不过，此分散化的倾向，是经历三国时代，而到这时才完全贯彻的。

晋室在北部于西元三一七年完全归于瓦解。同时司马氏之一族，又在江南复活起来，称为东晋。东晋据有扬子江流域，约维持其统治一世纪。但封建势力的分散倾向，却并不因其南迁而受到阻止。东晋那种偏安局面，仍不过是在北来的强族与江南的土豪的对立斗争下，勉强作苟延残喘的撑持而已。

第三节　南北朝时代

一、南朝

东晋灭亡于西元第五世纪之初，由此时到隋朝统一中国的第六世纪末叶，其间计有一百七十余年。在此百七十余年中，中国南部是由宋，齐，梁，陈四王朝所统治；这每个王朝，都不过存立几十年罢了。

宋之封建制，专承晋代旧规，齐亦大同小异。梁陈皆无何等特异之点。自大体上言之，由晋至于南朝，诸王皆为都督刺史，拥有土地甲兵，强藩广布，中央朝廷通失其控驭能力。

二、北朝

西晋于西元第四世纪初期灭亡后，在第五世纪之初，后魏即统一江北，而把前先由西方北方侵入的所谓五胡——匈奴，羯，氐，羌，鲜卑——置于其支配之下。中国北部的五胡时代，大体相当于中国南部的东晋时代。此时代计历一世纪，中国北部在此一时代，统一完全解体，诸蛮族国家——即所谓五胡十六国——相互战争与吞并，直至北魏统一，始渐进于安定。

北魏或后魏这一征服国家，后来发展而为封建国家。其宗室都封之以郡，为王公；部落的大人及降附者，则封之以县，为列侯。就历次分封合计，前者达九十余人，后者达百八十余人。诸侯王在其所属领封内，有师，友，文学，侍郎，掾属，舍人等官吏。

北魏在第六世纪初，即分裂为东魏（西元五三四——五五〇年）与西魏（西元五三五——五五七年），历时未久，此两国又分别由北齐（西元五五〇——五七七年）及北周（西元五五七——五八一年）所代替。它们都只有十余年乃至数十年的国运。其封建皆仿行北魏，无可记述。

北齐后来为北周所吞并。而北周宇文氏之外戚杨坚，在西元五八〇年曾被封为隋王，翌年即受北周之禅，而为隋文帝。隋文帝于西元五八八年吞灭当时在南朝与其对立之陈，而统一全中国。中国自汉末以来，几历四世纪的分裂混乱局面，至是始再踏上统一的道程，而向着中央集权的官僚主义的封建场面迈进。

序说

中国中央集权的官僚主义的封建制度，是由秦代开其端绪，至汉代始行成立。由汉末以后至南北朝之间所展开的分散的封建局面，虽然使中国典型的封建体制，即与官僚主义专制主义发生联系的封建体制，在此数世纪间，显示一种中落的异样的姿态，但中国社会之集权的官僚主义封建制度所由成立的本质要求，即主要对外防御外敌对内施行大规模治水事业，乃恢复一般社会生产力的要求，却不但未因此受到任何改变，且反而益加吃紧了。所以隋代一度形成统一局面后，中国的封建制度，乃再趋于中央集权化；唐代的封建规模，实远驾秦汉而上之。此后由唐而宋而明以至于清代，中国官僚主义的封建体制，皆在发展推进过程中，但那却不是由一直线发展下去的。

本来由抵御外寇，由恢复社会生产力而形成的官僚主义的专制政体，在经过一定期间之后，必然要因其内在矛盾的作用，转化而为阻害甚至破坏那种生产力的转化物，结局，由社会生产力阻害破坏所引起的国力衰退现象，又势必要成为外敌侵入的诱因。唐末的藩镇之祸，及继是而来的五代的战乱，宋辽金及以后元朝大帝国的建立，乃至明末的内患与外忧，在在皆为对于中央集权的官僚主义的封建制度的反离现象，或为那种制度内部矛盾迸发出来的反对物。但大致的说，由隋至明末这个长时期中，却不妨说是中央集权的官僚主义的封建制度的发展时代。

这个时代的封建主义的经济基础，与均田制度和庄园或庄田制度保有极紧密的关系，但我们同时并不忽视商工业乃至货币经济在这整个时代所扮演过的，虽然不能作过大评价的任务。

不过，为了叙述上的便利，下面还是以土地制度的演化状况，来分别解析这整个时代的社会变动情形，至关于其间历代的商工业发展的一般趋势，则留在本篇最后一章中，作一概括的叙述。

第六编

官僚主义封建制度的发展时代

第一章　隋代与中央集权的企图

第一节　均田制与赋税

自隋文帝受后周之禅，更进而统一中国全部以后，于是以前仅施于北朝的均田制度，至是乃扩展到整个中国。特隋代的统治，为时甚短（西元五八一——六一七年），它对于这种制度，究竟切实推行到如何的范围和程度，尚属疑问，但至少当时是有过这种企图，并且在相当限度内，见诸实行了的。

隋之均田制，大体是仿北齐的遗规：即一夫受露田八十亩，妇人受露田四十亩，奴婢所受露田，与良民同。每男女另受二十亩桑田，为其永业田。设土地不适于栽桑，则授以二十亩麻田。此外，对于每三良民，授予一亩为园宅地，若对于奴婢，则须五人授地一亩。人民以十八岁，为受田之期，以六十岁为还田之期。

赋税系对成年男子课加。即正丁每一年须提供徭役三十日，租粟三石。领受桑田者，所奉纳之调，为绢绝一匹，绵三两；领受麻田者，则其调为麻布一端，麻三斤，至未婚之单丁及奴婢，其租，调，徭役，各为正丁之半。

但上述的赋税负担，不过言其正规规定罢了，在实行上则颇有出入。文帝时宇内无事，官府颇有蓄积，故文帝时常下诏减免租税，迨炀帝即位，屡屡大兴土木军役，对于人民之劳动徭役诛求，实毫无限制。且除前述租调而外，更“课天下诸州，各贡草木花果奇禽异兽”；又因“盛修舆辇辂旌旗羽仪之饰，课天下州县，凡骨角齿牙皮革毛羽可饰器用，堪为氅毦者皆责焉。征发仓卒，朝命夕办，百姓求捕，网罟遍野，水陆禽兽殆尽，犹不能给”（见《隋书·食货志》）。然此不过言其一二端而已。封建制度下的人民义务，照例是随统治者的好恶喜怒，而没有严格限制的。

第二节　村落组织与社会设施

在实施均田制，即依均田制征赋税徭役的过程中，对于村落的编制，不能求其严密。所以文帝在颁布均田法制之顷，同时即颁新令，使人民五家为保，保有长；保五为闾，闾四为族，皆有正，畿外，置里正比闾正，党长比族正以相检察。男女三岁以下为黄，十岁以下为小，十七岁以下为中，十八岁以上为丁，丁从课役，六十为老，乃免。

征收赋税徭役有赖于村落户口之严密编制，由当时一件事实即可征知。“是时，山东承齐俗，机巧奸伪避役游惰者十六七，四方疲，人或诈老诈小，规避租赋；高祖令州县大索貌阅，户口不实者，正长远配，而又开相纠之科；大功以下，兼令析籍，各为户头，以防容隐。于是计账进四十四万三千丁。新附一百六十四万一千五百口。”（《隋书 · 食货志》）

即此一端，已可窥知当时均田制推行到了相当程度，而村落编制对于实施均田制赋税方法之重要，那更是显而易见的。

至与村落组织有关的社会设施，即文帝在开皇五年（西元五八五年）诏令设立的义仓。此种义仓之设原系依当时工部尚书长孙平的奏议，彼以为由国家赈济人民的灾荒，其行有所未周，力有所不逮，故主张民间自立义仓。当每年收获之顷，劝令各州百姓及军人，随其收获额数，自动捐出若干粟麦，贮于各该社村所设义仓中，并委定社司或村长，执帐检校，每年收积，勿令损败；若时或不熟，当社村有饥馑者，即以此谷赈给，由此可知义仓之性质，与前述常平仓不同，前者盖为各村落自身为防备水灾旱灾而施行的备荒蓄积的设施。因其为村社所设置，故又呼为社仓，然此与后面待述及的宋朱熹所创议设立的社仓，亦不一样。

特隋代社仓或义仓，尽管为一村有设备，但在官僚主义支配之下，其管理权渐渐由村社夺去，而移于县辖，后更由县移于州郡。开皇十五年诏云：

> 本置义仓，止防水旱，百姓之徒，不思久计，轻尔损费，于后乏绝。又北境诸州，异于余处，云，夏，长，灵，盐，兰，丰，鄯，凉，

甘，瓜等州，所有义仓杂种，并纳本州。

十六年又诏：

> 秦叠成康武文芳宕旭洮岷渭纪河廓豳陇泾宁原敷丹延绥银扶等州社仓，并于当县安置。（《隋书·食货志》）

由是义仓原来村有村治的性质丧失；依十六年，“诏社仓准上中下三等税，上户不过一石，中户不过七斗，下户不过四斗”之法令，社仓不但失却了原来成立的性质，且变为人民一项额外负担。至此后炀帝时代，遂有百姓饥饿至于人相食，而“所在仓库，犹大充牣”的怪象。

第三节　社会生产诸力的恢复与破坏

关于隋代一般社会经济的变动状况，刘昫曾有以次的概括说明，谓：

> 隋文帝因周氏平济之后，府库充实，庶事节俭，未尝虚费，开皇之初，议者以比汉代文景，有粟陈贯朽之积。炀帝即位，大纵奢靡，加以东西行幸，舆驾不息，征讨四夷，兵车屡动……数年之间，公私罄竭，财力既殚，国遂亡矣。(《旧唐书 · 食货志》)

这算是一个概略。现在且先看文帝时的盛况。在文帝开皇十二年“有司上言，府库皆满，帝曰，朕既薄赋于人，又大经赐用，何得尔也？对曰，用处常出，纳处常入，累计每年赐用之数百万段，曾无减损，于是乃更辟左藏之院，构屋以受之，下诏曰：既富而教，方知廉耻。宁积于人无藏府库。”于是乃相续减低租役。在此种状况下，户口必然大增特增，南北朝代末期，全中国户数不到五百万，至是竟增至八百九十余万。而垦田总数，在开皇九年（西元五八九年）为一九四〇四二六七顷，至炀帝大业中（西元六〇五——六一六年）已达到五五八五四〇四〇顷。即在二十年左右，垦田数激增到一倍以上。设依此等数字综合推算，以前每户所耕作之田，平均为两顷，此后则平均达到五顷以上。这些数字的正确性诚然还有加减余地，但在文帝末年至炀帝初年的人口户口耕地增加的事实，却是可由富时富裕景象而征知的。

炀帝在即位之始，亦曾因“户口益多，府库盈溢”，而“除妇人及奴婢部曲之课”，并改定男子以二十二为成丁。然而这位皇帝以后的种种举动，却把后周乃至文帝时代所恢复过来的社会生产力，根本予以破坏摧残了。计炀帝摧毁社会生产力的大规模活动，由以次三端即可窥见一斑。

（一）大土木工事　举其要者，为建东都及筑长城。建东都的营作大监为杨素，每月役丁二百万人。“而东都役使促迫，僵什而毙者，十四五焉。每月载死丁，东至城皋，北至河阳，车相望于道。”至其筑长城业绩，则是“兴众百万北筑长城，西距榆林，东至紫河，绵亘千余里，死者大半”。

（二）大治水事业　隋炀帝疏凿水道的动机，原在供漕运与游观。所以史载其“开渠引谷，洛水自苑西入，而东注于洛，又自板渚引河达于淮海谓之御河，河畔作御道，树以柳”。这个大运河工程所糟踏了的人力财力，当然是更有可观。至其导沁水的经过，则是这样：大业四年，“发河北诸郡百余万众，引沁水，南达于河，北通涿郡，自是丁男不供，始以妇人从役”。

（三）军役　由上面的大土木工事和大治水事业，我们已不难知道当时人力财力的耗丧程度了，现在再看他的军役。军役之彰彰可记者，（1）“时帝将事辽碣，增置军府，扫地为兵，自是租税之入益减”；（2）“使朝请大夫张镇州击流求，俘虏数万，士卒深入，蒙犯瘴疠馁疾而死者十八九”；（3）大业四年，“帝亲征吐谷浑，破之于赤水。……遇天霖雨，经大斗拔谷，士卒死者十二三焉，马驴十八九”；（4）“六年将征高丽，有司奏兵马已多损耗。诏又课天下富人，量其赀产，出钱市武马填元数，限令取足。复点兵具器仗，皆令精新，滥恶则使人便斩，于是马匹至十万。七年冬大会涿郡，令江淮南兵，配骁卫大将军来护儿，另以舟师济沧海，舳舻数百里，并载军粮，期与大军会平壤。是岁山东河南大水，漂没四十余郡，重以辽东覆败，死者数十万”（见《隋书·食货志》）。此后杨玄感作乱，炀帝在荡平玄感以后，帝谓“玄感一呼，而从者如市，益知天下人不欲多，多则为贼，不尽诛后无以示劝，乃命裴蕴穷其党与，诏郡县坑杀之，死者不可胜数”。

隋炀帝由上面这几种方式直接间接杀戮的民众，已经不下数百万人了；益以穷奢极欲，荡尽天下财富。以致在文帝时代勉强恢复过来的社会劳动生产力，至是全归破坏。

第四节　中央集权封建制的昙花一现

隋文帝在统一中国之始，本企图建立中央集权的专制帝国。他的分封等级有九，即国王，郡王，国公，郡公，县公，侯，伯，子，男。宗室封王，功臣封列侯。自诸侯以下至于都督，皆给永业田，各有差，多者不过百顷，少者不过三十顷。京官给职分田，一品者给田五顷，每品以五十亩为差，至五品，则为田三顷，六品二顷五十亩。其下每品以五十亩为差。至九品为一顷。外官亦各有职分田，又给公廨田以供公用。

至炀帝时代，更将上述九等制，改为王，公，侯三等制，其余统行废除，并且对于多数同姓之王，或废或杀。在炀帝的企图，与其说是在要求封建制之求心的组织化，就不如说是在要求贯彻专制主义。但结局是归失败了。

隋代中央集权企图失败的原因，主要当然不能不说是炀帝之胡乱的破坏社会劳动生产力，以致无法稳定其专制主义的统治基础，更无力防范当时外来侵扰的夷狄，但旧来离心的封建势力的残存，却也于隋代统治迅速瓦解的过程上，尽了不少的敦促作用。隋末唐初之所谓“群雄”的蜂起，那正是离心封建势力残存的反映。

由是，在中国中世统一国家的完成，与中央集权的官僚主义的封建制的确立上，隋代只不过成就了一点过渡功能，其发扬光大，则为次一朝代即唐代的事业。

第二章　均田制的完成

第一节　唐代的封建规模与均田制

唐之开基君主，为唐公李渊。他乘隋末之乱，举兵山西，后借外族突厥的援助，进入关中，终于西元六一八年受禅而即帝位，为唐之高祖。唐高祖定都于长安，相次平定各地割据之“群雄”，统一天下。

唐代由高祖以至最后之哀帝，历二十主，存续近三百年（西元六〇八——九〇六年）。其间由成功的战争，成为世界最强国之一。其国家机构，最称完备，而中国的文化，亦至唐代而有最高度的发达。

唐代在先已经树立了强有力的中央集权国家，在太宗之世，虽曾一度发生复活封建古制之议，但因朝廷议论莫衷一是，终仍作罢。当时对于皇帝的子弟，虽封为国王，对于庶姓卿士乃至有功于国者，虽亦封为郡王，但唐之封建，仅有虚名。受封者通由内府给予缯布，不得食于其所封之地；领俸而已，无胙土可言。不但此也，受封者所有的封土，并不得世袭。胙土世袭不存，封建规模尽失。间或有若干例外，但不胙土不世袭，终为唐代封建的通则。

特唐代此种中央集权制的确立，乃以均田制的确立为基础。

高祖李渊在其即位之次年（西元六一九年），即定租，庸，调之制，每丁租二石，绢二匹，绵三两。课役至五十岁为止。由此可知当时耕作者所耕种的田地，事实上依然存有某种定限。但对于均田制之确立，则是始于武德七年（西元六四二年）所颁布的律令。照此新律令的内容，唐之均田制大体虽系仿照隋制，但有不少出入的地方，兹分别述其概要。

第二节　一般人民分受的公田

公田的分受者，主要当为农民，但唐代商工业者乃至一般贱民，均有领受公田的权利。现在先言一般耕作所受的田地。然后再顺次述及商工与贱民的受田情形，至土地宽狭肥硗以及收授之法，买卖抵押之限制等等，亦当相次述及。

一、耕作者

一般耕作者分受的公田，大体上有三个门类，即：

（一）谷田（口分田） 依收授法而收授的田地，后魏呼为露田，唐代则呼为口分田。此种口分田，专门用作栽种谷物，以纳地租之田。男子由十八岁以上至六十岁为止，凡属有劳动能力者即得分有此谷田八十亩。六十岁以上，减至四十亩，有笃疾废疾者，亦只能分得四十亩。妇人及幼小者，原则上不得分配土地，不过，寡妇或妾，可分三十亩；如妇人及幼小者为户主，则可分受五十亩。此种分割的比率，显然表示唐代的口分田，主要系分授于有劳动能力的男子，以便由他们榨取地租。从而对于男丁以外的老弱疾病者，则不过分予以仅够维持生活资料的田地罢了。

（二）园圃 在授田之始，各户得分受二十亩之园圃地以为其世守勿替的永业。不过耕作者对于这种永业性质土地，须种植桑，榆，枣等果木；尤其是要植桑养蚕，以便制绢纳调。因此，这种园圃地虽然为永业为私有，但仍在土地的耕作上强附有封建的限制。

（三）宅地　此亦为永业性质。良民家族在三人以下，能分一亩的宅地。若在三人以上，则每三人增给一亩。宅地中有一部分，须划作种菜之用。

二、商工僧尼等

以商工为业者，其永业田口分用，各各减半，但在狭乡或田地不够分配之乡，则工商不得分受公田。僧徒，道士，尼姑乃至女巫，亦得分受公田，至多不过二三十亩罢了。

三、贱民

当时就官贱民而论，有杂户，官户，及奴婢；杂户之地位与良民最相接近故其分受之公田，与一般农民为同额。官户所得，仅及农民口分田之半额。至关于在官贱民中占着最低地位的奴婢，则无所规定，对于私奴婢亦无所规定。不过无论官贱民或私奴婢其家族每五人皆得领受一亩宅地。

四、土地宽狭肥硗与耕地之分配

关于田地的分配，并不是机械的刻板的，在宽狭不一肥硗不一的场合，皆有伸缩余地。例如以田地与人口相权，不够分配者，称为狭乡；分配有余者称为宽乡。一个耕作者在宽乡尽管可以分有口分田八十亩，而在狭乡，则说不定只能领有四十亩。至于土壤的肥硗，北魏均田时已曾加以考虑；所谓易田——即须休耕之田——倍给，就是补救硗地的办法。唐制对于此点如何决定，载籍不详，但当时一定采行了类似北魏的变通办法。

五、收授之法

（一）凡收田授田，于每年十月行之；（二）授田之际，尽先授予贫者，课役者及多丁之户；（三）在原则上，授田系行于县界之内，但在狭乡田不足之场合，则听其受田于宽乡；（四）死者之田，皆收回授予无田者，但死于王事者之口分田，其子孙即令未达丁年，亦听其照样继续；（五）为王事而没落于外藩未归者，在六年之内其口分田由亲族同居人所管理；对于因战受伤者，其口分田终身不减。

六、买卖贴赁及质押之禁制

在原则上，田地的买卖是禁止的。但永业或口分田，亦设有可以变卖的例外场合。例如就永业田而论，家贫缺乏送葬费者，或离乡别土而迁居者，均可出卖其永业田，但就在这种场合，仍不能变卖口分田。口分田的变卖，惟有在以次两场合才有可能，即（一）在所属县界内，不能领有充分的田地，从而，欲向宽乡移徙者；（二）充当住宅，邸店，碾硙之用者，皆可变卖。但已经变卖田地者，其田地即令不足均田规定之亩数，亦不能再分配公田。而在买者方面，其所买亩数，只限于有依均田规定不足的亩数。买卖均须呈告报官厅，取得官厅之文牒，否则不能发生效力。

最后，对于土地之贴赁及质押，原则上亦不允许，所谓“诸田不得贴赁及质，违者财没不追，地还本主”。

不过这里也还有唯一的例外，即一个人如从事远役或外任，而同时又无继受者存在的时候，则其田地不妨贴赁或质押。

第三节 租，庸，调

均田法的根本企图，无非是要尽人类劳动力与地力，或发挥农业社会之全生产力，以增进农业上之剩余生产。所以，唐代的公田，在原则上，是配分于那些由十八岁至六十岁而且能从事农业劳动的男丁。

并且，在此种均田法实行的限度内，赋税与其说是课加于田亩，却毋宁说是课加于分受有桑田（永业田）谷田（口分田）合计百亩的男丁。惟有此种男丁，才能由他们的劳动剩余生产，而负担赋税。

唐代的赋税，与其施行的均田制密切关联，其基本项目为租为调为庸；此三者依均田法而进于体系化。租与调为生产物的贡纳，庸则提供徭役劳动，但以后渐转化而为现物或货币。

一、租

租之额数，每丁每年二石，所谓“凡授田者，丁岁输粟二石，谓之租”。但在南岭诸州，则不输粟而纳米。事实上，在高祖尚未颁均田新律的武德二年（西元六一七年），对岭南诸州所税之米，是上户一石二斗，次户八斗，下户六斗。而在此百余年后的玄宗开元二十五年（西元七三七年）又“定令，诸课户一丁租调，准武德二年之制”。

二、调

“丁随乡所出，岁输绢，绫，絁各二丈，布加五之一，绵二两。输布者，麻三斤，谓之调。”即在桑田之乡，每丁岁纳绢绫絁各二丈及绵三两，而在出麻之乡，则每丁岁输布（麻布葛布之类）二丈五尺及麻三斤。此种规定，大体系武德二年之制，此后无所更改。不过，依开元五年之令，除绵改定三两外，还附有以次之规定：“其绢絁为匹，布为端，绵为屯，麻为綟，若当户不成匹端屯綟者，皆随近合成。”因“布帛皆阔尺八寸，长四丈为匹，布五丈为端，绵六两为屯，丝五两为绚，麻三斤为缐”，一户所输如不够整匹整端……，则令其就近与他户配成。这又算在额定负担以外，加一层烦累。

三、庸

每丁每岁须提供的无偿徭役劳动，原定为平年二十日，闰年二十二日。不从事徭役者，则以生产物，特别是以绢代纳，其额数一日折绢三尺。所谓“用人之力，岁二十日，闰加二日；不役者日为绢三尺，谓之庸”。但此后依开元二十五年之法令，以前之绢改为絁或布。又据《唐书·食货志》，不纳现物而以货币输纳亦可，计每岁为银十四两。不过此为比较晚期的事。

此外，唐之原始形态的徭役日数，在原则上虽为二十日，但必要时得增加至五十日。特徭役日数增加，其租调得斟酌减免。即“有事而加役二十五日者免调，三十日租调皆免，通正役并不过五十日”。然而在专制的封建机构下，人民一定还不免要担当规定以外的杂役。

由上面的说明，我们知道在唐代均田制下的现实耕作者，该在如何的形态上，并在如何的程度上，对于土地领有者，提供其剩余劳动。基本赋税的年额，即租，调，庸的年额，大体上，约相当于每丁三十日乃至五十日的劳动。

第四节　王侯及官僚之田

在这里，我们还得把王侯及文武百官乃至官衙所分有之田，加以考察。在本质上，这类田的收领者，其本身并不经营农业，他们不过是要依此等田地的租赋收入，以为其衣食所资罢了。

一、永业田

亲王百顷，郡王五十顷，国公，郡公，县公，侯，伯，子，男，则由四十顷以至五顷，分别有差（依一顷为百亩计算，亲王之永业田，乃有丁男百人的分额）。至于官吏，不问是职事官或散官，由正一品以下至从五品止，所分给之田，品最高者为六十顷，最低者为五顷，其余亦分别有差。此外，就勋官而言，上柱国三十顷，柱国二十五顷；上护军二十顷，护军十五顷；上轻车都尉十顷，轻车都尉七顷；上骑都尉六顷，骑都尉四顷；骁骑尉飞骑尉各八十亩，云骑尉武骑尉各六十亩。不过，五品以上的永业田，不由狭乡分授，只由宽乡分授。但如自买荫赐田以充永业田，则不受此种限制。至六品以下的永业田，因其额数较小，故不妨由其所在乡土分割。

二、职分田

职事官分受有充当俸禄之职分田，田额因其官职不同而有差特。大约（一）京官一品受二十顷，以下递减，至九品为二顷。距京师百里以内，与京官同样待遇；京兆，河南府及京县官人之职分田，亦照京官职分田例。（二）诸州官吏，二品十二顷，以下递减，至九品为二顷五十亩。都护府与亲王府的官吏，其职分田与诸州之官吏同。（三）镇戍关津，岳渎及在外之监官，五品受田五顷，以下递减，至九品受田一顷五十亩。（四）守护王宫之近卫队长以下，亲王府典军以下，及外军的武官，多则分受六顷，少则八十亩。至外军武官之职分田，咸由其所属州县境界内分给。

三、其他种田地

如（一）对于各驿，每驿马一匹，授田四十亩，每传送马一匹，授田二十亩；（二）各官衙都分有公廨田，以充其厅费，例如大都督府分受四十顷，少者则八十亩。（三）关于边地，依汉朝以来的制度设有屯田。在平时，此等屯田系由在边官兵自行耕种，以供其食用。

四、买卖及贴赁

王公官僚之永业田及赐田，皆未有禁止买卖禁止贴赁之规定，换言之，就是他们对于国家颁给之田，得自由处分。

第五节　村落组织

唐代的地方行政区域，分划有五个等级，即道，州（或郡），县，乡，里。上级之道，州，县，乃依地域而分，若下级之乡和里，则仅从户数而定，即百户为里，五里或五百户为乡。依地域而区划之县，得包括若干乡。乡更包括若干里。

然在实际上，自然生长的聚落，并不常与这种机械分划的乡，里相一致。此种自然聚落在两京及州县廓内者呼为“坊”，在其郊外而位置于田野者，呼为“村”。如其里是由一定户数，依技术方式而规定的最下级行政区划，则“村”及“坊”就算是自然生长的聚落。从而，村如小，一里或许要包括几个小村；村如大，则一村也许可以分为数里。总之技术数字的区划，是不一定能与自然生长的聚落为一致的。

在开始分划行政区域的时候，居于最下级的里，当然演过重要的角色。每里都置有里正一人。但不久，自然生长的共同体即村与坊，亦被编入政治的组织中，并无关户数多少，在村设一村正，在坊设一坊正。不过就在此种场合，里制并不曾废弃，以百户为单位的组织，依然保留。里正的职掌，在按比户口，课植农桑，催驱赋役，检察非违；同时，自然聚落之头目，即村正与坊正，则是对于坊内的成员，负督察的责任。

最后，在里以下，还存有邻保的组织。即四家为邻，五家为保。保置保长，以相禁约。例如，保民对于五同保中有犯罪者，即须告发；保内及邻近有杀人盗窃的事体发生，一闻得报告或某种告急号音，即须迅速驰往出事地点救助。要之，五保制度的任务，与警察制有许多类同之点。

至唐代村落编制对于其推行均田制，特别是对于其推行租，庸，调税制所尽的功能，那自然是非常之大的。

第三章　均田制的弛废与税制变革

第一节　均田制的弛废

前面讲过，均田制下一夫一妇所经营的耕地面积，例为一顷或百亩。耕作者由这限度的耕地面积的经营，在租，庸，调的赋税名义下，对于皇帝和封建的官僚装置，提供其全部剩余劳动及生产物。

皇帝和封建的官僚装置既与领受公田的耕作者结有如此紧密的依存关系，故把耕作者死死束缚于其所受得的公田之上，那是他们死活攸关的大问题。前述关于田地买卖及其他处分所设定的种种禁制，无非都是由此种必要所产生的。

依照唐律，凡变卖口分田者，每亩处以十笞的惩罚，耕地归还旧主，财则没收。但此律并不完全适用于买者。

占田过多者，每亩虽亦罚以十笞，然其所占田地如在宽闲之乡，则不受此种处分。由此可知均田制的根本企图，不外在使耕作者紧紧束缚于耕地，使其在可能限度内提供其全部的剩余劳动。

不过，在土地丰饶的宽乡，既然对于占田或垦田在规定以上者，不加禁制，其结局就无异为大土地所有形态开辟了一条通路。

自然，在宽乡的耕作者自身，亦是有渐次蓄积富的机会的，但无奈那里有王侯官吏势力的侵入；他们凭其实力，对于开垦地的侵占，对于开垦地之剩余生产物或生产力增进之成果的横夺，那是尽有可能的。

王侯官吏们本来就分受有多额的永业田与职分田，此外还有一种恩赐田。永业田与恩赐田是被承认有私有权的田地，换言之，就是他们这种田地，是能够自由处分，而不受任何关于买卖，贴赁，质押之禁律的限制的。固然，随着商业与高利贷资本的侵蚀，他们随时有放弃其永业田和赐田的可能，但他们同时也能补充其不足额数，且进而兼并良民之永业田口分田；在一定的生产力的水准下，他们由兼并良民田地而横敛的剩余生产多一分，政府的收入就不能不相因而减少一分。结局，政府对于其官吏的兼并活动，乃不能不严加禁止。据《唐律疏议》(第十三卷):“诸在官侵夺私田者，一亩以下杖六十，三亩加一等，过杖一百，五亩加一等。罪止徒二年半，园圃加一等。”但是此种禁律只施诸官吏，并不能适用于王侯，其效率已可想见。况官吏横夺私田的活动，虽遭禁制，但实际对于耕作者行使支配的仍为他们这般人，凡属由劳动生产力向上所增进的剩余生产，他们是尽可多方横夺的。况加日益增加的奢侈需要，又在加速促起王侯官吏们侵夺耕作者的剩余生产的动机呢!

要之，人口增加，必然要促进宽乡的开垦，而农具与耕作方法的改良，以及治水设施的发达等等，又为农业生产力附上了渐次向上的必备条件。然而农业生产力向上的结果，势必至促起社会某一方面的富的蓄积，换言之，就是在农耕范围扩大与农业生产力向上的过程中，王侯，官吏，商业，高利贷资本，定然会相应发达起来。

在这种情势下，王侯，官吏，富豪辈，一方面成为自行统制的紊乱者，另一方面却又乘着统制的弛废，兼并公田，横夺租赋。官吏对于公田的侵夺者，是要依法重办的。然而他们自己却侵渔耕作者的田地，由是横敛租赋。耕作者不耐其横暴诛求，乃迫不得已而处分其不得处分的口分田与永业田，或则变为流民，或则成为富豪家的佃客。开元二十三年（西元七三五年）曾下诏禁止口分田和永业田的处分，及富豪的兼并，倘有违犯，即科以违敕之罪。然而敕令尽管再严，而兼并之风，却愈演而愈烈。诚如《通典》著者所说："虽有此制（按即指均田制）开元（西元七一三——七四一年），天宝（西元七四二——七五五年）以来，法令弛坏，兼并之弊，有逾汉成哀之间。"依天宝十一年的诏令，则知王公，百官及豪富之兼并土地，系采取以次几个方式：（一）使农民开垦荒芜地，迨其化为熟田，而横夺其地租；（二）违法收买口分田与永业田；（三）涂改籍书，以便隐漏隐占户口；（四）依典贴等方法而行使收夺。

在此种情形下，所谓庄田或庄园，相因发达起来。不过关于庄田的性质及其发展状况，我们是要留在次章考察的。

在土地兼并的过程上，王公，百官，特别是刺史节度使们，当然扮演了最大的最重要的角色。以离心的封建势力而论，节度使算是一个最重要的因素。在唐代初期，重要的诸州，都置有总督，以统辖军事，总督后改称都督；而在高祖以后约百余年间，更在边境地方，设置节度使。迄乎唐之中叶，天下已分四百余道，所置节度使亦递有增加，节度使大者管有十余州，小者亦管领数州。他们大抵兼任所在道之观察使及其驻节之州的刺史，由是，文事武事总于一身，而为外任官中之最大权威者。节度使原来并不世袭，但此制不久即行弛废紊乱。他们凭其实力，公然侵占分田，并自由支配土地与耕作者。

天宝十四年（西元七五五年）节度使安禄山之乱作，延续至数年之久。政治上的动乱，对于唐代社会与经济，自不免给予一大打击，而均田制则更由此受到破局的影响。一切大战争与内乱，皆不外旧来社会胎内育成的诸矛盾的暴露，而此诸矛盾暴露的结果，势将进一步促成旧来社会经济的破产。

唐代安史之乱在全般社会经济上发生的影响，可从以次诸方面窥见一斑。

（一）社会诸生产力蒙到极大的破坏。即内乱的结果，社会持有劳动能力的人口，颇多丧亡，由是引起耕地的荒废。

（二）地方官吏豪族乘此机会，更进而侵占公田，于是大土地所有的成立过程，乃顿形促进。

（三）在此种情势下，许多耕作者早不能紧紧束缚于土地，由是化为籍外流民者日多——在安史之乱以后约二十年，即在建中初年（西元七八〇年），曾分遣黜陟使往各道调查户口，其所得结果是土户（本籍人）客户（寄留者）各各为八十余万和百三十余万，即脱离本籍者，几达全户籍之半数。

（四）户口数破灭的减少。刚在安史之乱以前，即天宝十四年，政府支配的户数，为八百九十一万四千七百九户，人口为五千二百九十万九千三百零九人。然至乱后的肃宗乾元三年（西元七六〇年），百六十九州的管户总数，为百九十三万三千一百七十四户，其人口总数为一千六百九十九万三百八十八人。即在数年的战乱中，户数将近激减了六百万，人口则减去三千六百万。这事实，一方面固然表示人口在实际的破灭减少，同时亦表示地方官吏在登记户口时，对于隐漏户口，或为横夺租赋而涂改籍书，而欺瞒隐占民户的数字的激增。

要之，土地经由王侯，官僚，土豪辈的多方兼并，势必促使政府所能支配的户口激减，由是使唐室依均田制与租庸调而建立的中央集权的物质基础，渐形狭隘化脆弱化；它早已不能依赖旧来的田制税法而维持其统治了。在企图中央集权的官僚主义的封建国家存续的限内，势不能不重新组织其物质的基础。但唐代到了官僚，豪族势力已经伸张起来的中叶以后，要想变革这种新发达的土地所有关系，势有所不能，所以残下的比较可行的道路，就是在照样承认既成的土地所有关系之下，仅仅改变旧来的赋税制度，以期与之适合。

第二节　税制的变革——两税法

唐代在依均田制而存立的限内，它的盛衰，及依存于直接支配的自耕农数的多寡。这与欧洲的封建制不同。中世欧洲的封建的生产，系以尽可能的多分封臣为特色，封建领主的权力，与其说是基于土地租额，毋宁说是基于其所分封的家臣之数，而其家臣则依存于自营农民之数。若中央集权的唐代的皇帝的权力，则不通过领主家臣，而直接依存于其所直接支配的自营农民。

然如前面所述，唐代至安史之乱以后，政府所能支配的户口数，是大大激减了。户口激减本为过度诛求的结果，但同时却又成为不得不诛求的原因。例如，在天宝年间，有户口使王鉷其人，曾努力聚敛，以致不能不案旧籍而追征三十年以内的租庸不足的部分。愈诛求，而户口愈减少；户口愈减少，乃愈不得不出于诛求。代宗宝应元年（西元七六二年），租庸使元载以江淮虽经兵荒，住民犹似较其他诸道为有赀产，于是按其户籍，举过去八年间之租调违负者及逋逃者，计其大数以征取赋税。他选择豪吏为令，使负督率之责。人民是否负债不问，资产之高下如何亦不问，凡有粟帛者，发兵围之，籍其所有中分之，甚或十取其八九，此即所谓白著，“白著”云者，税外横取之谓。人民不服者，严刑以威之。由是，民有蓄谷十斛者，则以恐惧而待命；或则相聚于山林，化为群盗，县莫能制，以致农民暴动四起。是时蜂起于浙江地方之叛徒，达二十万，攻陷诸郡。政府历二年之久，始渐平定下去。

要之，户口数激减，政府收入亦因而激减，政府收入激减，仅存的耕作者乃因负担的加重，而益陷于穷困，结局，赋税制度的改革，遂成为当时不可终日的严重问题。

本来，依贫富而定户之等级，并依等级而征取赋税，远在北魏北齐时代已经试行过。迄乎唐代，在高祖之世，亦似曾部分的施行。但在实施均田制度的限内，此种税制，自无法求其一般化。然降及唐之中叶，为适应新的土地所有关系计，赋税制度已非常需要改革。此种改革，大体系始于安史乱后数年的代宗时代。据史籍所载："租庸调之法，以人丁为本。自开元以后，天下户籍久不更造：丁口转死，田亩卖易，贫富升降不实。其后国家侈费不节，而大盗起，兵兴，财用益屈，而租庸调法弊坏。自代宗时，始以亩定税，而敛以夏秋。"（《唐书·食货志》）每亩计税二升。

代宗朝的这种改革，始于广德元年（西元七六三年）。这种改革具有划时期的重要意义。因为一定的地租，乃一定土地所有诸关系之物的表现。由"以人为本"

的丁税到亩税的推移，那恰好表现了土地所有诸关系自体的变化。

逾三年即大历元年（西元七六六年），以国用不足，诏“天下苗一亩税钱十五”，为青苗钱，其义盖“以国用急不及秋，方苗青即征之”。此外，又有所谓地头钱，“每亩二十，通名青苗钱”。通属于夏税。秋税即亩税，分二等，上等亩税一斗，下等六升，荒田亩税二升。至大历五年，始定为法，亩税亦分夏秋两期：“夏上田税六升，下田税四升，秋上田税五升，下田税三升，荒田如故，青苗钱亩加一倍，而地头钱不在焉。”

然在大历四年，税法上曾有以次之规定，即“以钱输税，而不以谷帛；以资力定税，而不问身丁”。此种改革至为重要。因照此规定，输税都不以生产物，而以钱币了，并且人民所担赋税，通取决于其资力的大小。当时人民的资力，被定为九等，各等所税情形如次：

……敕有司定天下百姓及王公以下，每年税钱，分为九等。上上户四千文，上中户三千五百文，上下户三千文；中上户二千五百

> 文，中中户二千文，中下户一千五百文；下上户一千文，下中户七百文，下下户五百文。其见官一品，准上上户，九品准下下户。余品并准依此户等；若一户数处任官，亦每处依品纳税。……其百姓有邸店行铺及炉冶应准合加本户二等税者，依此税数，勘责征纳，其寄庄户准旧例从八等户税，寄住从九等户税。比类百姓，事恐不均，宜各递加一等税。其诸色浮客及权时寄住田等，无问有官无官，各所在为两等收税。稍殷有准八等户，余准九等户。如数处有庄田，亦每处税。诸道将士庄田既缘防御勤劳，不可同百姓例，并一切从九等输税。（《旧唐书·食货志》）

此种依资力分等税法，及前述大历四五年所颁布之亩税分夏秋两季完纳令，均为此后杨炎实施的两税法的基干。

杨炎之两税法，系确立于德宗建中元年（西元七八〇年）。当时有人还主张墨守高祖太宗之法，收羡田以招来浮户，恢复旧来之均田制。但杨炎反对此种主张，他以为复兴旧来成法，势所难能；若对已经兼并之土地，不加追究，对贫弱者亦不复其田业，仅依现存贫富之差，制定等级之税，则轻而易举。当时最高统治者的焦心问题，本来不在人民的疾苦，而在国家收入的锐减，只要收入有方法增加，他是不一定要拘守祖宗成法的。因此德宗容纳了杨炎的建议，两税法于是乎施行。

两税法原以夏秋两税而得名。而其大体轮廓，据欧阳修《唐书·食货志》所载，则如次：

> ……至德宗相杨炎，遂作两税法。夏输无过六月，秋输无过十一月。置两税使以总之，量出制入。户无主客，以居者为簿，人无丁中，以贫富为差。商贾税三十之一，与居者均役。田税视大历十四年垦田之数为定。遣黜陟使按比诸道丁产等级。免鳏寡茕独不济者。敢有加敛，以枉法论。

由此种说明，可知两税法之历史的意义，不在其

"夏输""秋输"，而在其"户无主客，以居者为簿；人无丁中，以贫富为差"。因前者为方法问题，后者为原则问题。正惟其"以居者为簿"，"以贫富为差"，王公官僚及浮客均在被税之列，而依均田制所行的丁税，或租庸调的丁税体系，乃从根本予以废止。

然而由推行此种税法对于贫富悬殊事实的肯定，势必进一步助长兼并，助长高利贷商业资本的发达。此后陆贽在疏陈两税法之六大弊害中，曾抉发此中机微。他说：

> ……夫财之所生，必因人力。两税以资产为宗，不以丁身为本。资产少者税轻，多者税重。不知有臧于襟怀囊箧，物贵而人莫窥者。有场圃囷仓，直轻而众以为富者。有流通蕃息之货数寡，而日收其赢者，有庐舍器用价高而终岁利寡者，计估算缗，失平长伪，挟轻费转徙者脱徭税，敦本业者困赋敛。此诱之为奸，驱之避役也。

这大体系就农商相对待而言，以为依资产定税，对于依流通蓄息获利者，所税必轻，于重农抑商之旨相背驰。但虽然如此，在土地所有关系上面，依然会助长兼并。据他所说：

> 古者百亩地号一夫，盖一夫授田，不得过百亩。欲使人不废业，田无旷耕。今富者万亩，贫者无容足之居。依托疆家，为其私属。终岁服劳，常患不足，有田之家，坐食租税。京畿田亩税五升，而私家收租亩一石。(《唐书·食货志》)

政府对于王公官僚以及强豪之田地虽然征税，但政府所取于他们者轻，他们诛求于其“私属”者重，结局兼并之风益炽，而庄园制乃益迅速形成。

第四章　庄园的成立

第一节　序说

唐代到了中叶以后，大土地所有形态渐渐发达起来了。公田分割制或均田制的弛废，那是大土地所有形态发生的原因，但同时亦正为其结果。所谓“疆理隳坏，恣人相吞，无复畔限，富者兼地数万亩，贫者无容足之居”（见《陆宣公奏议》）。这段话与汉董仲舒写秦废井田以后的情形，正是后先辉映。董仲舒有云：“秦则用商鞅之法，改帝王之制，除井田，民得买卖。富者田连阡陌，贫者亡立锥之地。”

这两段议论，通是大土地所有形态出现的写实，但其共通的认识缺陷，即以为大土地所有形态的出现，是由于井田制或均田制废弃的结果，不知在此等田制未正式废置以前，大土地所有已经相当发达了。

特由上述两者的比论，我们知道中国的大土地所有形态，并不始自唐代，远在唐代以前的秦汉时代，已有此种事实存在。不过，大土地所有依庄园的形态体现出来，或在庄园的名称下，益益发展而为一极关重要的土地制度，那却是唐代中叶以后的事。

唐代贵族富豪的大所有地之呼为庄，庄田庄园或略称庄，大体是开端于这个时候，所谓庄，原来是指着王公百官乃至富豪们之别庄。因为在其别庄的城外，大抵伴有广大的田园，故相因而有田庄或庄园的称谓。

第二节　庄园形成的过程

中国大土地所有制，曾在秦汉时代相当发达，至六朝时代，依均田制的成立而完全归于瓦解，降及唐代中叶，又复中兴起来，且成为以后中国土地制度上的决定形态。——中国土地制度上的这种变动事实，是以不能与中国封建制度的演化历程分别考察的。

我们一再讲过，中国为了防御外敌，为了治水及其他恢复农业劳动生产力的要求，往往需要建立一种中央集权的官僚主义的封建制。在中央集权的封建制度下，大土地所有常不免受到抑制，或者如唐代初年那样，把土地所有形态，完全变为国有或君主所有，依照君主的意向，分割于全国人民。在本质上，这种中央集权封建制的物质基础，就是由中央政府吸收的全国耕作者的剩余劳动。所以在劳动生产力的水准上没有发生极大的变化的限内，那种会使中央集权的物质基础感到生存威胁的大土地所有，即没有容许其存立的余地。但是，假若劳动生产力向上，从而劳动剩余生产有了增进，社会一部分人的富的蓄积，必然形成，而横夺剩余生产的大土地所有者的存在，就不但可能，而且必然无可避免了。

这是唐代均田制必然倾覆，或其大土地所有制或庄园制必然形成的根本原因。但如就具体事实方面考察，则唐代中叶以后的所谓庄园的成立与发达，则大体可依以次诸般事实而说明。

一、对于有功者或宠遇者的下赐

例如在玄宗天宝十三年，对于已经兼领诸道节度使之安禄山，除了加封尚书左仆射之外，更赐与实封千户，奴婢十房，庄宅各一区。不过由下赐而形成的庄园，为数为限，因下赐只限于王公，公主，特别有功者，或特别蒙受宠遇者，故从全体看来，不过占有一小部分罢了。

二、买卖与典贴

在均田制度之下，耕作者的田地，在原则上是禁止买卖典贴的，如有违犯，还定有笞罚。但依天宝十一年（西元七五二年）之诏令所示，郡县官吏自身在其任所设定寄庄，实际上并无任何妨碍。前述大历四年诏令所谓“如数处有庄田，亦每处税；诸道将士庄田既缘防御勤劳，不可同百姓例”。又谓：“其寄庄户准旧例从八等户税，寄住户从九等户税”云云，皆表明当时对于兼并的结果，已明认为既成的事实。特别自两税法实施以后，诸道州府的长吏，往往在任所收买百姓的庄园舍宅，而成为寄庄户。在另一方面，官吏就在均田制度下，他们对于自己的永业田及赐田，是能够自由处分的。官吏买卖能够自由，所以地方豪富就乘着旧来制度的弛废，与高利贷及商业资本的作用，而益发依买卖典贴等方式，以从事土地的兼并。

三、开垦

在大土地所有或庄园形成的过程上，开垦是扮演过莫大的促进作用的。王公，官吏富豪们，利用荒地的开垦，依两种方式来行使兼并：第一，在均田制度下，农民欲移往宽乡耕作，他是不妨变卖其永业田的，这当然是贵族官僚们的一个兼并机会，但最要者却为第二，利用农民垦荒，等到荒地化为熟地，他们再依涂改籍书等方法，由垦民手中横夺过来。

四、庄园本身的集中

庄园本来是土地集中化的结果，但在全般庄园形成的过程上，庄园本身却又转化为一种集中的原因。例如，靠乃父乃祖设置的庄园而生活的贵人豪族们的不肖子孙，往往也变卖或典贴其田庄与奴婢，因而使大土地所有或庄园进一步集中化。

要之，社会诸生产力的发达，必然使一部分人蓄积有财富，从而必然要造出大土地所有的可能因素。大土地所有或庄园诚然是在均田制度的胎内育成的，但均田制度随两税法的确立而完全解体，那当然也大有助于庄园的发达。事实上，唐代在德宗以后，庄园几乎是散在于全国各地的。在唐宋文献中，莊字略作荘，更略作庒或庄，盖因书写庄字的机会极多。日本加藤繁博士曾据此断言当时庄园的普遍盛行，是诚不失为一特殊见地。

第三节　庄园的所有者

就庄园所有的性质而论，大体可以别为以次几个门类。

一、由王侯百官豪富所建的庄园

在此种人所领有的庄园中，又以宦官及节度使的庄园最称发达。据说，近畿的良田，差不多有一半是归宦官所领有。前面讲过，唐代至中叶以后，即有不少的节度使存在。关于这些节度使的庄园，由以次一例即可见其梗概。宪宗元和元年（西元八〇六年），剑南西川节度使刘辟企图谋叛，时有山南西道节度使严砺讨刘平定之，以功封剑南东州节度使。严砺对于以前加担于刘辟方面的将士，官吏及百姓之户，庄，宅，奴婢，不报告于朝廷，秘密自行支配。此事至其死后暴露出来，计他秘密领有者，为户八十八，庄宅一百二十二所，奴婢二十七人。然此不过一例罢了。依元和十四年的敕令，诸道州府长官，已公然在其任所收买百姓之庄园舍宅为寄庄，并不肯承担定额的两税与差科。不但如此，大历四年诏令中所谓“诸道将士庄田既缘防御勤劳，不可同百姓例”云云，那不是早已认定节度使们的庄园，应受特别的优待么？至前述陆宣公所云“富者兼地数万亩”，大体也许是指着一般富豪而言。

二、寺观的庄园

佛教自后汉明帝时（西元五八——七五年）由天竺传入中国而后，历魏晋南北朝，至唐代而达于极盛期。迄乎唐武宗没收寺产，其规模有如次述：“武宗即位，废浮屠法，天下毁寺四千六百，招提兰若四万籍，僧尼为民二十六万五千人，奴婢十五万人，田数千万顷。

大秦穆护祆二千余人。……”（《唐书·食货志》）寺四千六百，奴婢十五万人，田数千万顷，其规确实颇不平凡。至此田数千万顷中，该有如何大规模的庄园或寺庄存在，那亦是不难想像到的。唐会昌元年五月十日《重修大像寺记》内，关于大像寺的庄园轮廓，所记如次：

> 管庄大小共七所，都总管五十三顷五十六亩三角荒熟并柴浪等，八顷三十八亩半坡侧荒，四十五顷一十八亩 ×× 熟 ×，× 瓦屋一百二间，草舍二十间，果园一所，东市善和坊店舍共六间半，并瓦风伯庄荒熟共一十一顷五十亩……

上述不过寺领庄园之一例。

本来在唐代均田制度下，僧尼是有分受公田的权利的，但其所分受者，每人不过二三十亩。唐代末叶的寺田，竟达到了数千万顷，那除了皇帝达官贵人的赐与，以及善男信女的捐赠外，其余则不能不说是出于兼并。特僧尼兼并的方式，与王公官僚不同。当时较大的寺院是多半备有通融金融的设施的，在救济贫民一时穷困的善举或美名下，贫民所经营的耕地，渐渐由寺院并合起来，并由寺院吸收其剩余生产了。当时曾邀封建天子王公官介特别敬重的寺院，又从精神物质两方面来营求寺产的发展，无怪其占有田地达数千万顷了。但在寺院庄园形成的过程上，我们还不要忽略了个别零散僧尼乃至小寺院向着大寺院集中的事实。

三、帝室的庄园

在"普天之下，莫非王土"的均田制度实施的场面下，对于帝室领有的庄园，本来是用不着特别规定的。然自王土王民的局面，渐随大土地所有形态发达，而莫能维持以后，帝室领有之庄园的设定与确保，乃深切感到必要了。两税法的采用，其原意本是为了丁税弛废，欲借此补救中央财政上的缺陷。然地方长吏所设定的庄园，事实上并没有履行其由两税法所规定的义务。所以帝室领有庄园的设定的必要，并不因两税法的施行而有所改变。例如在两税法已经实施的德宗之世（西元七八〇——八〇四年），就因政府穷极无聊，而行"借商之令”——即向京师商人强制借钱的诏令——后又税间架（屋二架为间，上间钱二千，中间一千，下间五百，匿一间，杖六十，告者赏钱五万），算除陌（依除陌法，公私贸易，千钱旧算二十加为五十，物两相易者，约直为率），依旧入不敷出。于是此后因大逆罪而没收之田宅，大抵皆化为帝室直领的庄园，由内庄宅使管理，其租额是颇有可观的。

第四节　庄园组织及耕作者的地位

一、庄园的组织

就一般而论，庄园首先必得有一座为庄园主人所居住的房屋，这房屋呼为庄院，附属于这庄院的，有田园，有佃户所居住的呼为客坊的住宅。不过，庄园的轮廓并不是定型的，也许除佃户以外，还有其他的寄留者，庄院也许存在田园附近，或田园之中，也许竟没有庄院。在大体上，庄园是被呼为监庄，庄吏，或别墅吏的管理人所管理。而在帝室领有的庄园，则其所置的管理人呼为内庄宅使或庄宅使。而其庄园的一般的组织，则是“每顷为一庄，客户五家相保共佃，一人为佃头，每庄客给牛五具种子农器付之；每家别给菜田十亩，又贷本钱七十千，分二年偿，勿取息，若收成日，愿以斛斗折还者听”。这种组织法，虽为屯田招佃的办法，但因其是仿民间之例规定出来，故可视为一般庄园的组织。

二、耕作者

庄园的耕作者，一部分为奴婢。但奴隶的大经营，是早已无从发达的。因为中国农业早就渐形集约化的结果，粗放的奴隶经营，已经失其可能性了。

耕作者的大部分当然是那些紧紧束缚于土地的土著农民。他们有客户，寄庄户，庄客，庄户，佃客，佃家，佃户，佃民等等称呼，有时或单称为客，总之，庄园的农奴罢了。

农奴而称为客户或客，原来是指称那些由他乡留寄的佃民，因为在庄园的耕作者中，有的为流民，有的为开拓荒地而应募的农民，有的则是被兼并过了的自营农。但无论他们的来历如何，他们的共同命运，则是不仅由领主那里取来种子，农具及役畜之类的生产手段，且其食粮与住宅一类的消费资料，亦不能不仰仗庄园所有的领主供给。《陆宣公奏议》中所谓“富者兼地数万亩，贫者无容足之居，依托强豪，以为私属，贷其种食，赁其田庐”云云，正好是对他们这些领民依附于其领主之隶属关系的写实。

依照事实的逻辑，生产手段的分配关系，是必然要决定生产物之分配关系的。《陆宣公奏议》中所谓“有田之家，坐食租税；贫富悬绝，乃至于斯！厚敛提征，皆甚公赋。今京畿之内，每田一亩，官税五升，而私家收租，殆有亩至一石者，是二十倍于官税也。降及中等，租且半之，是十倍于官税也”云云。盖不外生产手段的分配关系，决定着生产物之分配关系的结果。陆宣公所描述的这种事实，系发生于德宗时代（西元七八〇——八〇四年），即两税法实施后不久。在京畿地方，自营农民对于政府每亩纳田税五升——徭役杂税不在内——，而庄客对于领主，则中等地须纳五斗，上等地须纳一石。京畿地方之庄园租额如此，在各地方甚或不只高于官税十倍二十倍也。庄客或庄园耕作者对于领主或庄园领有者所提供的剩余生产物，一般呼为庄租，庄课或租课。并且，除了剩余生产物以外，庄客还得对于领主提供徭役劳动。特此徭役劳动之限量如何，史籍不详。

不过，完全没有生产手段的庄客，虽然不能不对庄园领主输纳高率的多量的剩余生产物和提供徭役劳动，甚且连其自身亦不得不依着隶属的联系，而变为其私属，但他的地位，却不是奴隶。严格意义的奴隶，与其他生产手段同样是属于客体的生产条件，但庄客对于领主是依着一定的契约关系，在输纳一定额数田租的条件下，个别的独立的经营土地。领主虽然极苛刻的剥削他们的剩余劳动，但有时亦还能与以多少蓄积的机会。在当时，无疑是有多数奴婢存在的，然在本质上，那宁可说是不关与生产的家内奴隶。

要之，中国的农民，一向在大体上都是分受公田百亩或一顷的自耕农，不过他们在封建的诸般限制之下，被紧缚于土地，对于官僚主义的封建国家，在田的方面，要输粟稻为租；在身与户的方面，要提供徭役或绢布绫绵诸物，以为庸调。封建的官僚政府，对于在较低的生产力水准下的耕作者的剩余生产物，是有完全予以吸收之必要的。虽然劳动生产力增进，从而劳动剩余生产增进，但在“官吏侵渔”，“赋敛不一”与“征发过多”的情形下，耕作者仍是不能希望留下何等残额的。事实上，劳动生产力如渐次向上，其结果，只不过是供社会一部人的横夺与蓄积，且由是使旧来的自耕农，益益转化为庄客或庄园农奴。他们由公田耕作者转化为庄园农奴，那并不是因为后者的负担较轻，地位较安定，换言之，那并不是出于他们意识的选择的结果，而是因为社会诸生产力的发达，使庄园的成立与发展，成为可能，且成为无可避免的事体。庄园在形成与发展的过程上，同时就必然要造出旧来均田制分解与自营农民之庄园农奴化的条件。

第五节　中国庄园的特质

论到这里，我们须顺便述及中世中国庄园的特质。原来庄园是一种必然会出现于封建社会的社会经济组织；设更确切的说，一般的封建制度，差不多都是以庄园组织为其支撑的骨干。所以有人就欧洲庄园的作用说：

“从封建政府的立场来讲，庄园单位的配列，是为了便于支持贵族和从事战争的骑士阶级。”（见 Knight 等著，王亚南译:《欧洲经济史》，第一四六页）

就因庄园与封建制有不可分离的联锁，所以在中国庄园成立的当时，日本的庄园亦吐露其萌芽，而在中世的欧洲，更差不多成为一般的普遍的现象。一位著者关于欧洲庄园制度的全般轮廓说:“……关联于此种制度的各种要素或成因：第一，那有敞地村落；第二，有支配领地农场的领主；第三，有农耕隶民——农民全体对领主保持着半自由的习惯的关系；第四，普被于庄园的封建关系的组织……那组织所提供的大部分系统与规律，使庄园成为一个值得研究的充分综合的制度。”（同上，第一七八页）

我们如把前面已经述过的中国庄园的各方面的情形，与这段话加以比较的观察，在大体上，我们也许不妨确认这位著者关于欧洲庄园制度形式上的描述，可以适用到中国庄园组织上来。

然而那至多亦不过是形式上的类同罢了。

就本质上讲，中国封建制度是有其异于欧洲封建制度的特征的。就中显而易见之点，就是中国典型的封建制，都是中央集权的，官僚主义的；这事实反映到庄园组织上面，就使中国庄园制度具有一种异乎欧洲乃至日本的庄园制度的特质。

中世日本及欧洲的庄园，皆获得有所谓不输不入的特权（immunity），即他们本身为不输租土地，从而对于封建政府，不提供课役，并且封建国家的官吏，亦不得从上面来予以干涉。

然而处于专制主义之下的所谓中国中世的庄园，它却是不曾获得这种特权的。事实上，不纳租赋的庄园，尽管因中央权力的剥弱，而日有增加，但在政治上法制上，却终没有承认这种特权。前面讲过，当大历四年施行税法改革之顷，对天下户口，系依贫富分九等课赋，而其诏敕中且明白规定："如数处有庄田，亦每处税；诸道将士庄田，既缘防御勤劳，不可同百姓例，并一切从九等税。"庄田或庄园课税，其见于法制上之明文规定者如此。而实际如在宣宗（西元八四七——八五九年）之世，帝舅右卫大将军郑光请免赐田之税，且碰一大钉子；郑光之别墅吏（即庄吏或庄园管理人）因极专横，计私利，而不入积载征租，京兆尹韦澳至擒而械系之；在皇亲国戚的庄园，尚不许免租，更严罚其滞纳，其他一般庄园（除朝廷号令不行的节度使们的庄园而外），更当然谈不到不输不入的特权。原来德宗时代所行的两税法的主眼，在“户无主客，以现居为簿；人无丁中，以贫富为差”，故在两税法施行以后，庄园领主显然担负有一般的公课，而在领主支配下的庄客，且还要负担户税。

封建政府对于庄园行使的这种权力，这在一方面虽为中国庄园的一种特质，同时亦是中国封建制度之中央集权的，专制主义的特质之表现。

第六节　庄园聚落之发达

就量上讲，唐代庄园在耕地总面积中，究占有若何的比率，吾人不能由史籍征知，但依庄园方式而形成的村落，在当时曾有显著的发达，而且异常普及，那则为一般公认的事实。

前面讲过，唐代的地力行政区划，有道，州（或郡），县，乡，里五级。道，州，县，依地域而分，而下级的乡与里，则专依户数而分，即以百户为里，五里即五百户为乡。此均为中央政府所定的技术的区划。自然生长的聚落，在两京及州县城廓内者有坊，在郊外或田野者为村。迨后因时势的推移，依户数分乡分里之制废，里如同村一样，转化为表现村落团体的名称。自然生长的聚落，其户数普通大概是在百户左右，少者数户数十户，多者数百户。唐代庄园形成后，一个庄园，往往有佃客百户乃至二百户，例如，在玄宗天宝年间（西元七四二——七五五年）有相州王奂夫妇二人，住于邺城，积有万斛粟，并支配客二百余户。此后至于宋代，其规模乃愈演愈大，如泛州之李诚其人，他就有“方园十里，河贯其中，尤为膏腴府，佃户百家，岁纳租课”的广大庄园。

庄园而拥有一百户乃至两百户的庄客，那已很可形成一个村落，因此，以村名而附以庄字，如某某庄的实例，是所在而有的。庄园普及的结果，庄字本身就含有村落的意味，由是相因而呼农家为庄居，呼农民为庄家或庄民。

第七节　唐末宇内皆藩镇

中国在第八世纪即唐之中叶以后，庄园迅速发达起来，同时，新的封建势力，即离心的封建势力，亦逐渐露其头角。这种封建势力，即所谓藩镇。

本来唐自中叶以来，皇子弟封王者不出阁，诸臣封公侯者不世袭，封建之制，已几乎名实俱尽。然至肃宗之后，强藩皆私有土地甲兵，世守勿替，俨如列国。此种离心封建局面的形成，盖不外中央集权封建制胎内矛盾发展转化的结果。但如就政治制度方面考察其渊源，则此俨如列国的强藩，实自太宗时代发其端绪。

在太宗之世，曾置沿边节度使以当边防之任。在行使职务的关系上，此等节度使虽握有兵权，但随时更迭，并不许其世袭。然至安禄山之乱后，河北三镇乃出现了世袭的节度使。降及黄巢作乱的第九世纪末叶，东南沿海的节度使，亦皆化为世袭的藩镇。

在德宗的时候（西元七八〇——八〇四年），已经有四十多个藩镇存在。迄乎第九世纪下半期的唐末，则“宇内皆藩镇”，而这些所谓藩镇，非士卒杀其主帅，则盗贼逐其牧守，然而朝廷不能讨伐。诸藩镇因为拥有土地甲兵，而又由世袭日形强大，于是在第十世纪初头，唐之统治乃因其自身胎内育成的新封建势力的伸张，而趋于崩坏。

由是中国在唐末以后半世纪间，完全陷于藩镇交哄的混乱状态中。所谓“五代十国，皆藩镇之流裔”到了这种情形下，支配中国封建主义的法则，又从另一方面发生作用。即中央集权的封建体的分解，社会生产力，乃至国力的破坏与衰退，必然要导来外部漂浪的游牧民族的入寇，由是，中央集权的封建制的要求，又重复作用着，而为宋代的中央集权统治留下伏线。

第五章　宋代庄园的发达

第一节　序说

唐代统治崩溃以后的半世纪间，中国又像在复演着汉末三国时代那种混乱剧。在那种混乱状况下，勉强撑着破落江山的场面的，是被称为五代的后梁后唐后晋后汉与后周。它们的开业者，都不过是唐代的藩侯，就中，还有三国是“非我族类”的突厥。换言之，就是突厥已乘着中国内部的纷乱，而入主华夏了。是时，在中国的东北部，还有契丹在不时寻隙内寇。

在这种外族侵凌的情势下，中国单为防阻外敌，已经要求一种中央集权的统治。宋太祖赵匡胤应运而成就统一大业，那不是偶然的。

赵匡胤原为五代最后之后周的殿前都点检，他于西元九六〇年受后周禅让即帝位，建设宋室，为宋之太祖。太祖渐次平定诸方，统一天下；对外驱逐契丹，对内废除藩镇，在某种程度上，亦算确立了中央集权的统治。然而宋代集权统治上留下的最大缺陷，就是不曾确立田制，以阻止庄园发达的趋势。也许说，庄园发展到了当时那种程度，已经不容易再阻止下去吧。但无论如何，庄园是一种向着离心方面发展的社会经济组织，如其中央政府没有适当的方法予以调节限制，那就显然要成为中央集权的障碍，或使国力归于萎缩的祸根。

宋代王朝树立后约一个半世纪，即在西元一一二七年，即为其东北部的金国所驱逐，而迁移于江南。而且就在那一个半世纪的半后期中，它早已在受契丹所建立的辽国所侵逼，迨女真所建立的金国代辽而兴起，它就只好跑到南方了。

宋代以前的首都在河南汴梁，南迁后，即都浙江之临安。自是宋之文化圈，乃局限于中国南部。南宋的存立期间，亦约为一个半世纪，于西元一二七九年告终。

第二节　不输租地的增大

在宋代统一局面下，农业劳动生产力愈益发达。国家为增进农业生产，曾讲求种种方法。例如太祖即位，即依周世宗均括民田之法，命官分诣诸道均田，凡苛暴失实者，辄谴黜。又诏所在长吏，谕民有能广植桑粟垦辟荒田者，止输旧租；县令佐能招练劝课，致户增羡，野无旷土者，议赏。民有杀耕牛者，有伐桑枣为薪者，严定惩罚。逮太宗即位，首先即亲耕籍田，以劝农事。此后又因风土之宜，诏江南两浙荆湖岭南福建诸州长吏劝民益种诸谷；民乏粟，麦，黍，豆种者，于淮北州郡给之。淮北诸州亦令就水广种粳稻，并免其租。迨淳化五年宋亳数州牛疫发生，于是一方面由官借钱，令民就江淮买牛，一方面则制造不用牛力，而运以人力之踏犁，发给农民。此外，官吏劝民垦田者，悉书于纸印，以俟旌赏。凡此种种，均为政府当局注意增进农业的证明。

然而当时的农业实况，则需要从田制税制上根本予以改革。至道二年，太常博士直史馆陈靖曾力陈其事云：

按天下田土，除江淮湖湘两浙陇蜀河东诸路，地里敻远，虽加劝督，未遽获利，今京畿周环二十三州，幅员数千里，地之垦者，十才二三，税之入者，又十无五六。复有匿里舍而称逃亡，弃耕农而事游惰。赋额岁减，国用不足。诏书累下，许民复业，蠲其租调，宽以岁时，然乡县扰之。每一户归业，则刺报所由，朝耕尺寸之田，暮入差徭之籍。追胥责问，继踵而来，虽蒙蠲其常租，实无补于捐瘠。况民之流徙，始由贫困，或避私债，或逃公税，亦既亡遁，则乡里检其资财，至于室庐什器桑枣材木，咸计其直，或乡官用以输税，或债主取以偿逋。生计荡然，还无所诣。以兹浮荡，绝意归耕。……

这是当时农民流亡的实在情形，政府枝枝节节的救济与奖劝，实无补于时艰。陈靖在指陈这种根本弊害，乃提出关于田制与税制的办法，其大要如次：

……逃民复业及浮客请佃者，委农官勘验，以给授田土。收附版籍，州县未得议其差役。乏粮种耕牛者，令司农以官钱给借。其田制为三品，以膏沃而无水旱之患者为上田；虽沃壤而有水旱之患，埆瘠而无水旱之虑者为中品；既埆瘠复有水旱之患者为下田。上田人授百亩，中田百五十亩，下田二百亩，并五年后收其租。亦只计百亩，十收其三。一家有三丁者，请加授田如丁数。五丁者从三丁之制，七丁者给五丁，十丁者给七丁，至二十三十丁者以十为限。若宽乡田多，即委农官裁度以赋之。其室庐蔬韭及梨枣榆柳之地，每户十丁者给百五十亩，七丁者百亩，五丁者七十亩，三丁者五十亩，不及三丁者三十亩。除桑功五年，后计其租，余悉蠲其课。(《宋史·食货志上一》)

这种田制税法，并不是全盘的或一般的，其着眼点在安插并救济逃民浮客，利用无田耕之人，以耕种无人耕之地。至于已经由贵族，官僚，豪富所私有了的庄园，或大土地，则未提及。

但是，此种办法如能一直推行下去，至少可以使大部分的逃民浮客，得到复业的苏息机会，并由是阻止庄园的扩增。但是在这种法案中占着核心地位的要点，同时却正是最大障碍之点。例如（一）乏粮种耕牛者，令司农以官给借；（二）对逃民浮客给授田土，收附版籍，州县不得议其差役；并对所授耕田，五年后始收租，桑地亦除桑功五年。

由前一点，是政府须支出大量费用，由后一点，则是支出了大量费用，还要五年后始能得到好处。所以他这个议案甫经提出，当时宰相吕端即“谓靖所立田制，多改旧法，又大费资用”，后虽部分得以实行，然结局仍是“未几，三司以费官钱数多，万一水旱，恐致散失，遂寝”。

特宋代对于田制的根本办法，虽然始终无所成就，但历代君主们对于增进农业劳动生产力，以及从事治水灌溉等等设施却是颇为努力的。可是，一方面对于逃民浮客不能设法使其复业，同时又多方设法促进农业劳动生产力，结局，就恰好造出了大土地所有形态或庄园经济的条件。

就因此故，土地私有的兼并现象，乃随逃民浮客增多，及社会劳动生产力的增进，而益益显著。在这种情形下，政府遂多方设法限制公卿以下的官僚们的土地所有。例如，在仁宗之世，就曾下诏限公卿田毋过三十顷，牙前将吏应复役者，毋过十五顷。而结局仍是“任事者以限田不便，未几即废”。这所谓“任事者”当然是指着官吏们，他们所感到的不便，也当然是“兼并”的不便。此种最大限度的限田法尚行不通，官僚，豪族，寺观等的兼并活动，自然是越来越凶的。在仁宗明道二年（西元一〇三三年），其兼并现象已是：“势臣富姓占田无限，兼并冒伪，习以成俗，重禁莫能止”。而不输租赋的所谓“隐田”，遂随以增加。在北宋中叶，以赋税与顷亩相权，“赋税所不如者，十居其七”。事实上，庄园所有者，殆皆实行不输不入。在徽宗政和中（西元一一一一——一一一七年），又曾限制官僚之田，一品百顷，二品以下递减，至九品为一顷，凡在限制内之田，皆免其差科，限制外之田则不免。然而这种限制甫经推行，宋室已被金人逐驱到江南去了。

在南宋时代，田制问题在本质上无何等变化。政府依旧力求麻粟豆麦等农作物的普及，又免除耕牛税，以便役畜应用的普及，此外，并大兴灌溉事业。然而所有这些努力的利益，都不过归属了“豪宗大姓”。而南宋兼并之风，甚且较北宋为尤烈。

在南渡初年，知平江府章谊曾言“民所甚苦者，催科无法，税役不均。疆宗巨室，阡陌相望，而多无税之田，使下户为之破产。”此后虽从整理经界着手，求于“有未均处，亟与改正”。然积重难返，至中叶以后，更难挽回。淳祐六年殿中侍御史兼侍讲谢方叔言：“豪强兼并之患，至今日而极……国朝驻跸钱塘百有二十余年矣。外之境土日荒，内之生齿日繁，权势之家日盛，兼并之习日滋。百姓日贫，经界日坏，上下煎迫，若有不可为之势……今百姓膏腴，皆归贵势之家，租米有及百万石者。小民百亩之田，频年差充保役，官吏诛求百端，不得已献其产于巨室，以规免役，小民田日减，而保役不休，大官田日增，而保役不及。”（《宋史·食货志上一》）

小民不耐诛求，而献其产于巨室，于是巨室租米有及百万石者。特租米虽及百万石，而“保役不及”。然至咸淳十年，更变本加厉：“邸第戚畹，御前寺观，田连阡陌，亡虑千万计，皆巧立名色，尽蠲二税”（《宋史·食货志上二》）。

小民出税之田大减，而豪贵“巧立名色，尽蠲二税”之田大增，结局，政府的费用，将无所出。所以在此种猛烈兼并过程中，帝室自身亦不能不设法扩展庄园，以图自活。例如远在南宋初期的绍兴二十年（西元一一五〇年），诏谓“两淮沃壤宜谷，置力田科，募民就耕，以广官庄”。后至孝宗干道二年（西元一一六六年）单在湖北黄冈麻城的官庄，已有二十二所。迨后财政困难，不得已，乃拍卖官庄田，例如在建炎二十九年（西元一一五九年），出卖两浙转运使之官庄田四万二千余亩，营田九十二万六千余亩。迄乎宋室末年，“金人乍和乍战，战则军需浩繁，和则岁币重大，国用常苦不足，于是……命有司括田以给用”。

政府穷到拍卖官田，主要是因为当时豪贵阡陌相望“多无税之田”，但政府拍卖官田的结果，却进一步助长了“豪宗大姓”的兼并。

要之，有宋一代田制税制，始终没有弄出一个确定的体系。所谓“田制不立，甽亩转易，丁口隐漏，兼并冒伪，未尝考按”，确是当时的实情。在此情势下，豪强的兼并，大土地或庄园的扩展，自为必然的结果。

但宋代庄园虽然较唐代为扩展，但中国中世庄园的特质，即未取得不输不入特权的特质，似乎还未完全丧失。观前面所述，“疆宗巨室，阡陌相望，而多无税之田”云云，其言外虽似表示他们的庄田无税，但如照“邸第戚畹，御前寺观，田连阡陌……皆巧立名色，尽蠲二税”之说，则宋代就到末叶，还不曾在法制上完全免除大土地庄园的赋税，因“尽蠲二税”，还须“巧立名色”也。

第三节　宋代耕作者的状态

一、农村社会的分化

自均田制弛废以来，农村中已有主户客户之分。此种主客的区分，大体系始于唐之中叶，至宋代日益发达，而其名称则延续到元明清诸代。具有生产手段及生活资料者称为主户，没有者呼为客户。设探其源起，所谓主户，即一般土著农民，客户则为流移者，寄留者。自均田制度破坏后，前者只限于有土地家屋者，而后者则为没有土地家屋者。换言之，就是宋代有生产手段者，即令为流移者，亦编入主户，没有生产手段者，即为土著农民，亦算客户。由是，主户大体为大地主及小土地所有者，而客户则为农奴。

宋代的主户客户，约成以次的比率。

年代	主户	客户
真宗天禧五年（一〇二一年）	6,039,331	2,638,346
仁宗宝元元年（一〇三八年）	6,470,995	3,708,994
神宗元丰三年（一〇八〇年）	10,109,542	4,734,144

照上列数字言其大较，宋代户数，约有三分之一化为庄园农奴。

二、耕作者的地位

据前面引述谢方叔所言："小民百亩之田，频年差充保役，官吏诛求百端"，是当时耕作者所经营的土地面积，通常总在百亩左右。

（一）自营农民耕作者如同时即为"民田"的所有

者，则对于宋室不能不负担赋税。民田之赋，准两税法，分夏秋二期征收。“有二十而税一者，自三十而税一者。”故“赋入之利，视前代为薄”。然而这是从政府方面来考察，若就耕作者方面言，则是“催科无法，赋役不均”。而且税率也不曾确定。田赋以外，还有丁口之赋。即男夫二十岁以上六十岁以下为丁，丁男每岁须输钱米。在某种场合，并还征收丁赋。丁赋“每丁钱千四百文，绢八尺有奇”。依据户口统计，宋朝累代的人口数，与其户口数相对的较量起来，常是非常之少，平均每户不过二人强。此种奇怪现象，无非是因为丁赋过重，以致人口的隐漏，远较户数的隐漏为多。不但此也，除了田赋丁赋以外，还有称为“加耗”的田赋附加税。至其他杂税名目，所在而有。

然吾人尤当注意者，则为输税上所谓“折变”法。“其入有常物，而一时所输，则变而取之，使其直轻重相当，谓之折变。”照此释义，折变大体是现物税因货币流通的发达，而转化为货币输纳，但货币也转化为他物。如是辗转折变，使地方官吏得便于诛求。最上层统治者，虽明知其弊，而责“令折科为平估，毋得害农”，而结果则是“闻诸路比言析科，民赋多以所折，复变他物，或增取其直，重困良农”。不但此也，现物税转化为钱之后，往往又要再转化为银。如“今之为绢者，一倍折而为钱，再倍折而为银，银愈贵，钱愈艰，得谷愈不可售。使民贱粜而贵折，则大熟之岁，反为民害”。要之，折变无论如何演化，其原本的企图，终不外要求物纳地租中之国税部分的货币输纳化。不过，那怕就是物纳地租中之国税部分，要求其能一般的货币输纳化，势必要具备以次的前提，即社会劳动生产力须发达到一定限度，商业，工业，商品生产，乃至货币流通，均须有显著的发达，由是，诸生产物之市场价格成立，并得以接近价值的价格贩卖。然而宋代的社会劳动生产力，显然未发达够形成这种局面的程度。宋代的货币流通，诚然有比较显著的发达；然其本位货币，在本质上，为钱币，而银则颇不足观。以当时这样的货币发达水准，要行使物纳租之货币输纳化，实甚困难。因此，州郡官吏对于那些认为要折变的生产物，就好利用其价格不绝的显著变动，而苛削一般农民。

此外，宋代的耕作者，还被课担有非常苛重的徭役。宋代之户，分为九等——后分为五等——分著于籍，谅轻重给役。据其役法："役出于民，州县皆有常数，宋因前代之制，以衙前主官物。以里正户长乡书手课督赋税，以耆长弓手壮丁逐捕盗贼，以承符人力手力散从官给使令。"而"役之重者，自里正乡户为衙前主典府库，或辇运官物，往往破产"。因徭役过于繁重，民为避免徭役，乃发生以次诸般现象：

……命官形势占田无限，皆得复役，衙前将吏得免里正户长，而应役之户，困于繁数，伪为券售于形势之家，假佃户之名，以避徭役。

民避役者，或窜名浮图籍，号为出家，赵州至千余人。

京东民有父子二丁，将为衙前役者，其父告其子曰：吾当求死，使汝曹免于冻馁，遂自缢而死。……江南有嫁其祖母及其母，析居以避役者。又有鬻田去其户等者。

所以当时知并州韩琦曾上言"州县生民之苦，无重于里正衙前。有孀母改嫁，亲族分居，或弃田与人，以免上等；或非命求死，以就单丁。规图百端，苟免沟壑之患”，役法之苛虐，亦至于此！

苛虐役法在各方面所引起的反响，以及钱币流通的发达，遂有企图使徭役货币输纳化之改革论发生。即如在神宗熙宁二年（西元一〇六九年）所改革的役法，就是使民不直接担当徭役，仅依户之等级征收役钱，“以备官雇”。其所颁法令云：

> 凡当役人户，以等第出钱，名免役钱。其坊郭等第户（按即官吏商等）及未成丁单丁女户寺观品官之家，旧无色役而出钱者，名助役钱。凡敷钱先视州若县应用雇直多少，随户等均取雇直。既已用足，又率其数增取二分，以备水旱欠阁。虽增毋过二分，谓之免役宽剩钱。

这个法令中新设的助役钱，因为要官商们破费，所以不能不遭受多方的反对。虽勉强施行，而朝官议论百出。时监察御史刘挚言：“助役敛钱之法，有大臣及御史主之于内，有大臣亲党为监司提举官而行之于诸路，其势顺易矣。然旷日弥年，终未有定论，为不顺乎民心而已。”然仅不顺乎民心，必不致引起如此的反响，盖主要为不顺乎官心也！在官僚主义的政治机构下，结局当然是“罢官户寺观单丁女户出助役法”。

至关于免役钱，当时朝臣亦多对立意见，而反对方面之急先锋，则为司马光氏。“他认为免役之法，其害有五。上户旧充役，固有陪备，而得番休；今出钱比旧费特多，年年无休息。下户元不充役，今例使出钱。旧日所差，皆土著良民。今皆浮浪之人应募。无类籍，受贼侵，陷官物。又农民出钱，难于出力，若遇凶年，则卖庄田牛具桑柘以纳官钱。提举官常平仓司惟务多敛役钱，广积宽剩。”他反对的主旨：第一是官吏不仁者利用征钱雇役之机会，多事聚敛；其次有用农民所出之钱，以豢养浮浪之徒；第三是农民出钱，犹难于出力。在当时那种货币流通水准下，他特别重视此点，谓“钱非私家所铸，要须贸易，丰岁追限，尚失半价，若值凶年，无谷可粜。卖田不售，遂致杀牛卖肉，伐桑鬻薪。来年生计，不暇复顾，此农民所以重困也”。但免役钱法之弊害虽然如此，宋代大体上仍能在某种限度内强制推行，特其间诸多变改。所谓“差役已行，续闻有命雇募不足，方许定差。屡有更张，号令不一。又转运使欲合一路共为一法，不令县州各从其宜。或已受差，却释役使去；或已辞雇，却复拘之入役。或仍旧用钱招雇，或不用钱白招。纷纭不定，寖违本意”（《宋史·食货志上六》）。

至南宋时代又有所谓义役制度发生。此制原倡于处州松阳县，以后到处推行。其大旨是由村民各各醵出田谷，帮助役户，轮流提供徭役，所谓“众出田谷助户轮充”。然义役之弊，与差役相上下，朱熹尝指陈其害有四，谓“义役有未尽善者四事：盖始倡义役者，惟恐议之未详，虑之未周，而踵之者不能皆善人，于是其弊日开，其流日甚，或以才智把握，而专义役之利；或以气力凌驾，而私差役之权。是以虐贫扰富，凌寡暴孤。义役之名立，而役户不得以安其业；雇役之法行，而役户不得安其居”。

要之赋役之繁重，由前述已见一斑。赋之役之不得其法，益使农民陷于绝地，司马光曾言，“四民之中，惟农最苦，……幸而收成，公私之债，交争互夺。谷未离场，帛未下机，已非己有。……而况聚敛之臣，于租税以外，巧取百端，以邀功赏。”无怪此耕百亩之田之小民，因“频年差充保役，官吏诛求百端，不得已而献其产于巨室，以规免役”了。

（二）客户　他们大都为官庄客户，否则为大官巨室之隶属者。前者耕作官田，对朝廷或宋室提供地租。不过在此种地租名义下，包含有两个部分，一是佃田所应纳之租，一是对政府应纳之税。

至隶属于大官巨室之客户，其收获中有十分之五要以地租的名义，输纳于田主，并且对田主还不能免除身份的从属。不过，他们的地位，大体上还比官庄客户之地位较为和缓。

本来在原则上，客户除租以外，还须担负前述丁口之赋。但前面讲过，丁口的隐漏，远较户数之隐漏为多，从而政府所支配不到的丁口，一定为数不少。从而，客户对于田户所课担的职役或其转化形态的免役钱，就有免除的机会，所以“小民”为规免差役，多以其产献于巨室。

要之，客户是没有生产手段的耕作者，他们大体免除了职役或免役钱的负担。不过，他们对于人头税或丁钱，仍是非出不可的。此外，他们还要为田主提供种种的杂徭。

第四节　农村组织与社会设施

一、村落组织

宋代的行政区划，分有路，州及县。县分为乡及镇——至南宋时更分为市。乡由里及坊所组成。里有里正，坊有坊正，其任务在催督赋。此外设还有耆长，弓手户等，以当今日警察之任。

然至十一世纪后半期，王安石出任宰相，他曾进行种种改革。在中国历史上，王安石的变法，曾与商鞅的变法，王莽的变法，相提并论。由王安石实行种种改革的结果，差役法改为募役法，同时并行保甲法（西元一〇七〇年）。在先，乡里户数之制，原已废除。但依保甲法的新组织：十家为保，五十家为大保，十大保即五百家为都保。都保之中，选取两个最有才，勇，物，力者，以充当都保正都保副，彼等对都保中之半数保丁，教以战阵之法。此为保甲法之起源。保甲法的特质，可以说是在企图强化乡村组织，使其变为军事的组织。至若在保及大保中，亦各各设有保正副大保正副。

保甲法亦如同王安石的其他改革一样，是蒙到了当时一般儒者之强烈反对的。司马光曾斥此为劳民于“非业之作”，但无论其反对的理由如何，保甲法在宋代乡村组织上，确已扮演过莫大的作用，并使后代蒙其影响。

二、社仓

东洋社会设施上之所谓三仓，即前述汉代的常平仓，隋之义仓，以及宋之社仓。宋代在太祖之世，曾诏州县复兴义仓，太宗又置常平仓，乘时增籴，惟恐其不足。真宗继之，益行养民之政，所设常平惠民之仓，殆遍天下。厥后仁宗英宗皆于周济贫弱之义仓广惠仓多所设立。神宗即位以来，水旱荐臻，对于发仓粟振民之举，亦惟恐行之不力；迨王安石秉政，乃改贷粮法而为借助，移常平仓广惠仓钱斛而为青苗，皆令民出息，于是“常平广惠之法，变而为青苗矣”。“今放青苗钱，凡春贷十千，半年之内，即令纳利二千；秋再放十千，至岁终又令纳利二千，则是贷万钱者，不问远近，岁令出息四千。”由是“民一取青苗钱，终身以及世世，一岁尝两输息钱，乃别为一赋，以弊民生”，换言之，即周贷贫弱之社会设施，结局竟转化而为一榨取农民之工具。

迨至南宋初期，朱熹为矫正过去青苗钱乃至常平义仓之流弊，乃于西元一一六八年新创设社仓。至孝宗淳熙八年（西元一一八一年）始下诏诸路，采行此新社仓法。而朱子关于施行此社仓之经过，史载如次：

> 淳熙八年，浙江提举朱熹言：乾道四年，民艰食，熹请于府，得常平米六百石振贷，夏受粟于仓，冬则加息计米以偿。自后随年敛散，歉蠲其息之半，大饥即尽蠲之，凡十有四年，得息米造仓三间，及以元数六百石还府，见储米三千一百石以为社仓，不复收息，每石只收耗米三升。以故一乡四五十里间，虽遇凶年，人不阙食。

朱子社仓法行之有年，至陆九渊在敕令局时，始大赞赏，而编人振恤，社仓由是始成为一法定的社会设施，并经详细规定其推行办法，即：

> 凡借贷者，十家为甲，甲推其人为之首，五十家则择一通晓者为社首。每年正月告示，社首下都结甲。其有逃军及无行之人，与有税钱衣食不阙者，并不得入甲。其应入甲者，又问其愿与不愿。愿者开具一家大小口若干。大口一石，小口减半。五岁以下不预请，甲首加请一倍。社首审订虚实，取人人手书持赴本仓，再审无弊，然后排定。甲首附都簿，附某人借若干石，依正簿分两时给。初当下田时，次当耕耨时，秋成还谷，不过八月三十日，足湿恶不实者罚。

由是，我们可以看得出社仓的几个特点：第一，过去常平仓或义仓之贮积，皆藏之州县，其所振贷，只及于市井游惰之辈，而深山僻野之农民，反不免向隅。若社仓则是在县官监督之下，由村民自行管理，故无此弊。第二，社仓对于逃军及无行之人，不与借贷，可见在社仓推行组织上，已隐具有制裁此类人的意味，换言之，即社仓本身，殆附随有维持乡村秩序的功能。第三，社仓所贷之粟，虽亦取息，但有变通办法，即可视年岁的荒歉程度，而予以减免，并且仓粟在若干年内，积至若干限度，还不再收息，只每石收耗米三升。法至善也，“惜事久而弊”，其后“或移用而无可给，或拘催无异正赋”。宋室既归倾覆，社仓亦成为一历史陈迹，特此后历代进行此类社仓设施时，殆莫不特别注意其实效。

第六章　蒙古征服下的中国

第一节　建国以前的蒙古部族

在西元第十二世纪的时候，蒙古部族占据在斡嫩（the Onan）及克鲁伦（the Kerulen）两河的上游，介在塔塔尔，汪克，克烈，篾里乞，干亦剌等部族间，从事畜牧。他们当时不知书写文字之术，从而没有自己的历史，其祖先的姓名，与部族之历史事实，都不过得自口头传说。据郑思肖《心史·大义略序》云：旧鞑靼所居，并无居宇，毡帐为家，得水草即住；兽皮为衣，无号令以合同出入；不识四时节候，以见青草为一年，人间岁数，但以几度青草为答。

此种不知文字不识岁时的部族，既是营着浑浑噩噩的牧人生活，故其可能的主要财产，即为家畜，骆驼，牛，绵羊，特别是马，乃其生计所资。此等家畜，供给他们以主要食粮。他们最欢喜吃马肉，但其他任何兽类之肉均极嗜食，虽瘟病而死者，亦不嫌恶。肉类除鲜食外，并为贮藏而将其切成小片，晒干或熏干。他们还喜欢吸饮马乳发酵之汁物。家畜除赖以提供食料饮料外，还得充其他种种需要，其皮革可用以制成衣服；其毛发可用作毛毡网绳之原料，腱可作缝线或弓弦；骨可制矢；粪一晒干，即为沙漠地方的唯一燃料。牛马之皮，特别宜于制作革囊；而某种羯羊之蹄，且可直接用作饮器。总之，这种牧人部族的日常食用所需，几乎完全是依赖他们的家畜。

当他们放牧家畜的牧场上的牧草行将告乏时，他们就卷其棚帐撑叠的家屋，连同家财，器具，幼儿，一齐都搭置在家畜背上，向其待探求的新牧地出发。各部族皆有其固有的标帜，以确定各各放牧地的范围。他们通常皆依不同的气节，而转移其居处。大抵春夏即移往山岭地带，挨近冬季则返到平原。

不过，他们这种牧人部族，恐怕在相当早期以前，即知道以极幼稚的方法，从事植物栽培。因为对于冬季寒冷的季节，如其他们不预为贮藏家畜饲粮，他们在继续饲养家畜上，就难免不发生极大的困难。

就社会形态上讲，他们当然是生活于氏族的组织之下。部族中有部长，称为诺延。在西元十二世纪时，部长之职，已经是世袭。在同族中，分有多数氏族。每氏族皆有族长。族长常与其所属族人共同居住；每年对于部长即诺延，须提供一定的家畜，以为贡纳。

后来尊称为元之太祖的铁木真，原为蒙古乞要特氏尼伦族之酋长的儿子，他袭父业为酋长，渐次统一离散的邻近诸部族，于西元一二〇六年在斡嫩河上流召集种族会议，树一军旗，在军旗下面由占者占卜，结果，彼依天之命，应称为成吉思汗——按即强大可汗之意。诸氏族酋长都同意天之所命，对铁木真上成吉思汗的尊称，由是蒙古建设国家之历史开始。

蒙古的种族大会，原为关于选举种族君长，外征以及种族内其他重大事项进行决议的民主的机关，但国家之局面展开，此种会议亦随着变化其性质。

在第十三世纪之初，成吉思汗侵入中国，驱逐金人，而领有黄河以北的大部分地域。不久，又西向扫灭当时割据于中国西北部之大夏。后蒙古第二代君主即太宗窝阔台，与南宋缔结同盟，共同消灭金人。金人既灭，蒙古遂破除此同盟关系，对南宋行使压迫。西元一二六○年，世祖忽必烈即位，定都燕京，至西元一二七一年，始定国号为元。元于一二七九年灭南宋，由是君临于全中国。

第二节　蒙古支配下的中国农民的状态

蒙古以游牧部族而入主中国，在先自不理解农业的重要意义。有谓“太祖起朔方，其俗不待蚕而衣，不待耕而食”，故对于农业诸生产力上最重要之要素的汉人，以为无所用之，而欲尽行杀戮。据《元文类》卷五七《耶律公神道碑》云；

> 自太祖西征以后，仓廪府库，无斗粟尺帛，而中使别迭等佥言，虽得汉人，亦无所用，不若尽去之，使草牧畅茂，以为牧地。公（耶律楚材）即前曰，夫以天下之广，四海之大，何

求而不得，但不为耳，何名无用哉。

使中国牧场化的大屠杀，由耶律楚材一言而获救了。别迭等之主张杀汉人，盖以仓廪府库不能发现斗粟尺帛；楚材言汉人之可利用，则以为地税，商税，酒酤，盐铁山泽之利，年可收银五十万，绢八万匹，粟四十万石。由是在这种理由下“留下头来”的中国人民，当然不能不从别的方面受到宰割了，换言之，就是他们得以农奴的命运，而准备着封建的榨取。

事实上元代在削除立夏，消灭南宋的过程中，已渐认知了农业文化的价值，并且，他们又由中国儒者学会了，“将欲取之，必先与之”的重农政策。所以世祖忽必烈即位之始，即诏告天下，“国以民为本，民以衣食为本，衣食以农桑为本。”此外，并颁《农桑辑要》之书于民，使民特别注重农业。又命各路宣赋司择通晓农业者充随处农官，更置大司农司，行司农司掌管农事，最后，又颁《农桑杂令》以劝导人民。至关于常平仓义仓等社会设施，世祖亦有所兴建。世祖以后，仁宗，英宗，明宗，及文宗之世，大抵皆曾颁告重农劝农之诏；

然而诏告尽管颁布，而汉族特别是一般农民所受的痛苦，却是非常凄惨。

因为第一，元代诸帝，多不知道汉文；第二，在蒙古支配中国约一世纪之间，汉人做到高等大官的，不过有数的几个人罢了；但最使中国农民受到惨酷打击的，却是住在中国本部的蒙古诸高官辈之拼命夺占土地，而毫不顾虑农事。常平仓义仓等社会设施，“实无所畜”“名存而实废”。至租税的蠲免，大抵只及于大土地所有者，由富人租田而输租的佃民，决无法浴得此种恩惠。

不但此也，元代对于社会诸生产力的破坏，往往不留余地，试就拘收马匹一端而论罢。马之用于民间者，除用以曳车曳碾外，并还役使于农耕方面。但元代一方面为阻止汉人的军事行动，同时并增强自己的军事力量起见，屡屡大规模的拘收民间的马匹。例如在世祖至元二十三年（西元一二六八年）由民间拘收的马匹，总计十万二千头。同二十七年，九千一百头，同三十年，十一万八千五百头。成宗大德二年（西元一二九八年）拘收十一万余头。武宗至大三年（西元一三一〇年）得四万余头。仁宗延祐四年（一三一七年）二十五万五千头；

同七年，二万五千头。顺帝天历元年（一三二八年）得十一万余头。在此数十年之间，汉民已丧失七十余万头的最重要的役畜。

然此不过言其一例而已。

现在且看元代农民在如何的土地制度赋税制度下，度着如何的生活。

一、蒙古王公官吏对于土地的收夺

在南宋时代，中国北部是由女真所建立的金国所支配。金国徙金人而赐与以土地，此后，更进而收夺汉人的土地，因其不熟知农业，乃将其由汉人收夺的土地租与汉人耕种，换言之，就是金人使被征服者化为农奴。这由外来王公达官所收夺的土地，在金代称之为“夺田”。

代金而兴的元代，它的王公官吏们，亦是同样收夺汉人的土地。元代的王公勋官，皆由朝廷赐与有采地，他们由是领有土地人民，并置管理人以管理之，受赐最多者，有的竟达八万户，其余一二万户者，为数颇多。实际上，不但王公贵族，就是官吏们，亦多多少少的获赐有土地，然无论王公或官吏，都不以此为满足，且进而冒占民田，或在献田的名义下，侵占民田。如在世祖时代，曾有以次的记载："今王公大人之家，或占民田近于千顷，不耕以稼，谓之草场，专放孳畜。"此后王公官吏侵夺民田的事实，由此次诸诏令即可得到反证：

至元十三年（西元一二七六年）诏："凡军将校及宋官吏有以势力夺民田庐产业者，各还本主，无主，则以给附近之无生产者。"

十五年又诏："谕军民官毋得占据民产。"

"大德元年（西元一二九七年）十一月禁诸王驸马并权豪毋夺民田。"

观此历次诏令，则知当时王公官吏将校们侵夺民田之事，该是如何风行！

由蒙古各统治阶层所侵夺的田地，在先虽多半化为牧场，"专放孳畜"，但后来因为他们渐渐知道了农业的价值，乃召募汉籍的民户，从事耕作。他们使民户农奴化，而榨取其剩余生产。但同时并不对朝廷输供国税。

朝廷恐怕这种不输不纳土地扩大起来，致大大减缩政府收入，所以历代都三令五申的禁止夺取民田。

二、江南强豪的发达

所谓强豪之家，主要是宋代的官吏，大土地所有者以及豪商高利贷业者。他们大抵都是在中国南部成长发达起来。由以次的记载，可以示知江南强豪如何发达的轮廓：

> 世祖至元二十二年（西元一二八三年）有云："江南隶官之田，多为强豪所据。"（《世祖纪》）
>
> 平章约苏言：江南治平垂四十年，……其富室有蔽占王民，奴使之者，动辄百千家，有多至万者，其力可知。（《武宗纪》）

迄乎元末，强豪愈益坐大：

> ……江南豪家占农地，驱使佃户，无爵

> 邑而有封君之贵，无印节而有官府之权。……贫家乐岁终身苦，凶年不免于死亡。荆楚之域，至有雇妻鬻子者。衣食不足，由豪强兼并故也。（《续通考》）

当时江南田多富豪，每一年有收二三十万石租的，有占着二三千户佃户的；由此可知在元代统治下，汉人自身间之大土地所有或庄园经济形态，依然在继续发展着。

三、寺院的庄园

寺田例为不输租地。元代寺田异常发达；其发达要因，一为合法赐与，一为不法强夺，再就是由赐与强夺结果所招致的自然成长的兼并，就赐田方面来说，通志有以次记载：

> 至于寺观赐田，尤为侈肆：世祖中统二年六月，赐僧聪怀孟邢州田各五十顷。八月，赐庆寿海云寺陆地五百顷，成宗大德五年二月赐

照庆宫兴教寺地各百顷，上都乾元寺九十顷，万安寺六百顷，南寺百二十顷；仁宗初赐大善庆寺田八万顷。延祐三年正月，赐上都开元寺浙江田二百顷，华严寺百顷，七月，赐普照寺益都田百二十顷。泰定帝泰定三年十月，赐太天源圣寺吉安临江田千顷。文宗天历二年十一月，赐集庆万寿两寺平江田五十顷。顺帝元年四月以所籍张圭诸子田四百顷，赐圣护寺。顺帝至正七年十一月，拨山东地十六万二千余顷属护圣寺，又文宗至顺元年四月，亦有括伊都，般阳宁海间田一十六万二千九十顷赐护圣寺。

由此史籍可征者，赐田已达四十余万顷。历代皇帝都对寺院赐田，寺院的威风，当然因皇帝的崇敬，而益炽手可热，由是自然要引起寺院僧侣强占或冒夺民田官田的事实。

初，帝（世祖）用嘉木揭喇勒智为江南释教总统，……因重贿宰臣僧格……攘夺田二

万三千亩，私庇平民不输公赋者二万三千户。(《通考》)

仁宗时，又有白云宗总摄沈明仁强夺民田二万顷，诱诳愚俗十万人。(《通考》)

常州僧录林起祐以官田二百八十顷冒为已业。(《成宗纪》)

寺院于赐田之外，更强夺官田民田，其由土地蓄积，及“诳诱愚俗”所增积的财富，更用以为兼并民田之具，故僧田所在皆是，“成宗大德三年七月中书省江南诸寺，佃户五十余万”(《通考》)。僧道夺取土地，剥削农奴的实况如此，故至泰定四年，乃诏“禁僧道买民田，违者坐罪，没其直。”(《泰定帝纪》)

四、田地经理的失败

元代大土地所有或庄园的发达，既如上述。当时政府为维持或增进赋税收入，对于整理田地赋税，自不能不设法努力。所谓“民之强者，田多而税少，弱者产去而税存，非经理固无以去其害”。然“经理大事，世祖已尝行之，但其间欺隐尚多，未能尽实，以熟田为荒地者有之，惧差而析户者有之，富民买贫民田而仍其旧名输税者亦有之，由是岁入不增，小民告病”。

“小民告病”倒无甚关系，只是“岁入不增”，殊为可虑，所以至仁宗延祐元年，又旧调重弹，务期切实经理。此次经理之法，大体如次：

> 其法，先期揭榜示民。限四十日以其家所有自实于官，或以熟为荒，以田为荡，成隐占逃亡之产，或盗官田为民田，指民田为官田，及僧道以田作弊者，并许诸人首告。十亩以下，其田主及管干佃户皆杖七十七；二十亩以下，加一等，一百亩以下，一百七，以上，流窜北边。所隐田没官，郡县正官不为查勘，致所脱漏者，量事论罪，重者除名。(《元史·食货志》)

其结果怎样呢：

> 然期限猝迫，贪刻用事，富民黠吏，并缘

为奸。以无为有，虚具于籍者，往往有之，于是人不聊生，盗贼并起，其弊反有甚于前者。（同上）

此后最高统治者知道弊由贪刻用事的统治阶层所作，如非对他们让步，即无结果，于是至次年乃诏免“三省自实田租二年”，又“命河南自实田自延祐五年为始，每亩止科其半。汴梁路凡减二十二万余石”。

总之，元代单为税收目的而行的经理政策，结局仍是以不成功而终。

五、农民的状态

在元代支配下的一般农民的状态，可由以次诸点而征知。

（一）私租　世祖至元二十年之诏令有云：“江南有地土之家，召募佃客，所取租课，重于公税数倍，以致贫民缺食者甚众。”观此可知江南的地租，实为公税数倍。然而出私租的佃民，并不仅负担此苛重地租，且还由其田主课担有极惨刻的封建义务。据《元典章》至元十九年御史台奏云：

> 窃见江南富户，只靠田土，因买田土，方有地客，所谓地客，即系良民，主客科派，其害甚于官司差发。若地客生男，便供奴役，若有子女，便为婢奴，或为妻妾……又有佃客，男女婚姻，主户常行栏当，需求钞贯布帛礼数，方许成亲……前项事理，即系亡宋弊政，至今未能改革，南北王民，岂有主将佃户看同奴隶，役使典卖；一切差役，皆出佃户之家。

当时种佃田的人民，除重租和担当一切差役之外，其婚姻嫁娶之自由，皆被剥夺。然既“将佃户看同奴隶役使典卖”，其他不言可喻了。

（二）官田耕作者　此种耕作者，往往浴着减租的恩典，在法制规定上，其所输之租，亦较宽大。在开垦荒地的场合，至第三年度——其后，至第四年度，始纳租。不过这种“宽大”或“恩典”的好处，往往由官田监理人代耕作者领受了。例如，屯田算是元代一项大规模的官田。此种田地原由军人种屯，以自赡其身家，但征服种族的“贵族化”了的军户，“不能耕屯，往往移民代耕，而收其租，且至伐桑以为薪”。(《廿二史劄记》) 即耕种这种官田的耕作者，动辄要受征服者阶层肆意的剥削。

（三）职田耕作者　据世祖至元二十四年，江西袁州万载县之例，职田耕作者应纳的佃租，每亩上等米六斗，此外，还有斗面米三升五合，鼠耗米三升五合及水脚稻藁钱等等。若县官巡视，耕作者且须备鸡备酒，外奉五两十两之钞。

（四）赋税　元代在江北一带，征取地税与丁税，地税每亩粟三升，丁税每丁粟三石，区丁一石，而在江南，则征秋粮。秋粮以米钞奉纳，其比率是米占三分之一，钞占三分之二。——不过，到成宗之世，又仿唐以来之两税法，征取绵绢布等以为夏税。

至相当于唐代租庸调之“庸”的力役之征，在元代称为科差。科差以现物现金偿纳，计分为丝料（每二年丝一斤）及包银（汉户四两）两项。至一切差役，则如前面所说过的，通由佃户提供。

（五）农村的组织　元代的地方行政区划，是把全国分为十行省；省以下置路，府，州，县。此等单位，通依地域区分。若县以下，则依户数而定有社制。社制为世祖至元七年所颁行，其大体轮廓及其任务，约如次述："县邑所属村疃，凡五十家立一社。择年高晓农事者一人为之长。增至百家者，别设长一人，不及五十家者，与近村合为一社。地远人稀，不能相合，各自为长者听，其合为社者，仍择数村之中立社长。官司长以教督农桑为事。凡种田者立牌橛于田侧，书某社某人于其上。社长以时点视劝诫，不率教者，籍其姓名，以授点官责之。其有不敬父兄及凶恶者亦然。仍大书其所犯于门，俟其改过自新乃毁，如终岁不改，罚代充本社夫役。社中有疾病凶丧之家，不能耕种者，众为合力助之。一社之中，灾病多者，两社助之。凡为长者复其身，郡县官不得以社长与科差事。"（《元史 · 食货志》）然我们一考察元代农村的兼并情形，及大土地庄园制度的发达，就知道这种社制，在实际是无法彻底推行的。

第三节　元末民族的农民的叛乱

元代在世祖忽必烈定都燕京之顷，其所支配之领域，除中国本部全土外，并还据有今之内外蒙古，天山南北路，阿富汗，波斯之北部，俄罗斯之南部。

然至世祖时代，其声威已达于极点。此后则日渐倾颓。中叶以降，中国方面之民族的农民的叛乱，相继发生，终至使元社归于倾覆。

原来元代在统一中国以后，对于统治中国广大的领域，虽亦渐知采取剿抚兼施的方策。但它对于汉人的轻视，对于汉人的摧残，却是无所不用其极。元代有所谓蒙古人，色目人，汉人，南人之分别。蒙古人即统治者本族的人民；色目人为蒙古以外的外族人或西域人；汉人为蒙古灭金时所得的汉人，南人则为其灭南宋时所得的汉人。故汉人南人实际皆为汉人。在统治者心目中，蒙古人最贵，色目人次之，汉人又次之，南人最贱。就社会一般待遇及置官任职方面言，汉人（包括南人的合部汉人）固然是立于极不平等的地位，同时征服者对于此文化水准较高的汉民族，却极端敌视，并施种种防压政策，以阻止其反元活动。在各地派遣“元答子”（蒙古人）监视汉人的行动哪，禁止汉人私藏军器哪，征收汉人的马匹哪，凡此等等，不一而足，其企图无非在压制汉人，使他们永远翻不过身来。——然而这诸般防压政策的反作用，却不免要激发起汉人的民族的观感。

可是，使这种民族意识强烈化，即使其对元代采行剧烈的反抗行动的，却是元代在经济方面的对于汉人的胡乱强夺与榨取。远在世祖至元二十年，内地百姓流移江南避赋役者，已十五万户。但照我们前面讲过的，江南强豪夤缘贪刻官吏而剥削农民的种种情形说来，江南亦并不能找得一块安居乐业的干净土。

在此种族的极端歧视与经济的过度压迫的情势下，中国的农民，或由农民转化成的流民，乃在各地发动起带有民族反抗意识的暴动来。

在元代中叶的仁宗延祐二年，有名为蔡五九者，曾起于江西赣州路，陷汀州宁化县而自称为王。他发动的原因，据说就是因为官吏以增加租税的目的，企图经理，或整理土地经济，撤去住宅墓地，而虚顷亩。

此后，因王公官吏及强豪之暴虐诛求，以及由政治设施弛废所形成的水旱荒灾景象，不绝制造出了大批的饥民流民。由是在顺帝至元三年，广东河南之乱作——朱光卿起兵于广东，俸胡起兵于河南。翌年，漳州袁州兵乱起。至正元年，湖广燕南及山东发生反叛；同四年山东盐徒之乱兴，翌五年，参议中书省事陈思谦警报朝廷，“所在盗起，盖岁饥民贫”。至正六年，京畿山东辽东，陕西福建河南等地同时告警。同八年，方国珍举兵于浙江之台州。自方国珍举兵以后，四海鼎沸，长江黄河沿岸一带，皆陷入混乱状态。

当时在各地起兵的群雄，大抵为农民，流民，小商人乃至流氓无产阶级，例如河南的韩山童，韩林儿为白莲会信徒，湖广的徐寿辉为贩布业者；其部将陈友谅为渔夫；江苏的张士诚为运盐舟子；浙江的方国珍为贩盐者，亡命者；安徽的郭子兴为卜卦算命先生的儿子，其部下朱元璋则是因饥荒荡产，以致迫而为皇觉寺的和尚。

我们看了这些英雄们的出身，就不难想见当时各地暴动的性质。

前面讲过，元代所有的常平仓与义仓一类备荒设备，大抵是名存而实废。兵乱既起于暴敛诛求与水旱灾荒，发生兵乱以后，诛求与灾荒乃益加甚。由是所谓寇盗猖獗，中国北部的中原大平野，均归荒废。“两淮之北，大河之南，所在萧条。”所谓“今燕赵齐鲁之境，大河内外，长淮南北，悉为丘墟”。所以紧承元末大乱之后的明初，“山东河南多是无人之地”。

在第十四世纪中叶，元末的混乱，约继续了二十年。在此二十年的混乱过程中，农奴的叛乱与民族的斗争，打成了一片。关于元代汉人的民族情绪，由郑心肖《心史》中所描画是“纵遇圣明过尧舜，毕竟不是真父母，千语万语只一语，还我大宋旧疆土”。这表明元代统治者虽再贤明，终是非我族类，不能不要求其还我山河；而况元代统治的残暴及其对于灾民流民的毫无救济办法，那当然更易唤起民族意识了。所以当时四方蹶起的农民暴动，都提出打杀“元答子”的口号。而明太祖北伐的檄文，就曾露骨的表明了民族战争的意义。那檄文说：“自古帝王临御天下，中国居内，以制夷狄，夷狄居外，以奉中国，未闻以夷狄居中国，治天下者也——古云，胡虏无百年之运，验之今日，信乎不谬。当此之时，天道循环，中原气盛，亿兆之中，当降生圣人，驱逐胡虏，恢复中华，立纲陈纪，救济斯民。”（《皇明通纪》）把“驱逐胡虏”视为“救济斯民”的前提，农民暴动俨然转化为民族战争了。

元朝的大帝国，毕竟在这种农民暴动——民族战争的动乱下颠覆下去了。大宋旧山河，从此又由汉人“立纲陈纪”的建立起了中央集权的封建国家。

第七章　明代中央集权与庄田的发达

第一节　序说

中国北部自唐末五代以来，即相次由契丹（辽）女真（金）所侵扰；特别自宋室于第十二世纪初期南渡以后，其间三世纪的长期岁月，完全委于外族支配之下。至朱元璋倾覆元室，统一中国，建设明之王朝，中国全土始完全复归于汉族统治。

明太祖朱元璋初原定都于扬子江下游之南京，至第三代的成祖（永乐帝）始迁都于北京。成祖为一英明而有建设精神的君主。北京的王宫与寺院，在建筑上堪为世界首都之杰出者，而这些建筑物，多半为成祖时所营造。成祖之世，文运大兴，同时其经略南洋之武功，亦颇有可观。

在明代初期，诸帝对外曾平定云南，以安南为属国，更远征缅甸及暹罗；北逐鞑靼，东使朝鲜受封册。同时对内则实行中央集权，而强化官僚主义的封建体制。

然明代在沿海一带，——由山东以至福建广东——自始即有倭寇出没。倭寇后来渐形猖獗，终至与北方的鞑靼，相并称为南倭北虏，而为明代之二大忧患。特别自蒙古帝国崩溃后，东西陆上的交通，全归杜绝，海上贸易，乃居于极重要地位；倭寇在沿海一带的活动，自不能不给予外国贸易一大打击。

明代在田制税法上值得注意的事体，即为鱼鳞册与黄册的制定。鱼鳞册制于太祖洪武二十年。太祖命国子生武淳等分行州县，随粮定区，区设粮长四人，量度田亩方圆，次以字号，悉书主名及田之丈尺。编类为册，状如鱼鳞，号曰鱼鳞册。鱼鳞册以土田为主。至与鱼鳞册并称的黄册，则以户为主。黄册亦系制于太祖之世，太祖洪武十四年，诏天下编赋役黄册，以一百十户为一里，推丁粮多者十户为长，余百户为十甲，甲凡十人。岁役里首一人，甲首一人，董一里一甲之事。先后以丁粮多寡为序，凡十年一周曰排年；在城曰坊，近城曰厢，乡都曰里。里编为册，册首总为一图。鳏寡孤独不任役者附十甲后，为畸零。僧道给度牒，有田者编册如民科，无用亦为畸零。每十年，有司更定其册，以丁粮增减而升降之。册凡四，一上户部，其三则布政司府县各存一焉。上户部者册面黄纸，故谓之黄册。所谓“鱼鳞册为经，土田之讼质焉；黄册为纬，赋役之法定焉”元代经理田土，以失败而终。至明以此黄册鱼鳞册为经纬，对于田制税法算立了“经理”的基础。

第二节　由禄田改为禄米

元代自世祖以来，历朝皆以天下之官田，分赐于诸王，公主，驸马，宦者，寺观之属。受田之家，各各任土著之贪刻奸吏为赃官，多方诛求耕作者；他们并且进而侵占民田，由是所谓庄园乃迅速发达。当时虽有人主张：使民以诸田租输之有司，有司输之省部，省部输之大部，然后再分给于诸受田者，然卒不行，由是元代的封建的势力，乃异常跳梁。

迨明太祖代鞑靼而建立纯粹的汉族王朝，在先对于皇族及功臣，依然是赐与以封建的土地。但明之统治，不久即发展而中央集权的组织。太祖初原赐与诸王及功臣以田土以为其俸禄，然不旋踵间，即随官僚主义装置的整备，将此作为俸禄的田土，或禄田，改为禄米，例如，太祖曾在洪武三年，封子九人为王，不过，他对于这所封的诸王，只列爵而不临民；只分藩而不锡土。其后历代虽亦照样分封诸王；诸王庶子郡王虽亦分封于各地，但讫“未有拨赐土田之例也”。

对亲王岁赐禄米之制，系确定于太祖洪武二十八年。但在此制正式确定以前，已经对于王公百官是支给禄米，例如，亲王的禄米，原为五万石，当时因天下官吏军士俸给的增大，和军国其他支出浩繁，乃在确定此制时，各减一万石，郡王原为五千石，至是削减二千石。镇国将军为一千石，辅国将军为八百石，奉国将军为六百石，镇国中尉四百石，辅国中尉三百石，奉国中尉一百石。公主及驸马二千石，郡主及仪宾八百石，县主及仪宾六百石，郡君及仪宾四百石，县君及仪宾三百石，乡君及仪宾二百石。

对于诸侯及一般官吏，在先亦分与公田以为其俸给。此后常改以禄田支给。加之，随着货币流通的发达，明代中叶以后的百官的俸禄，一部分已用当时通行的货币即银钞支给。特由禄田改为禄米，更由禄米改用一部分货币支给的推移，其自身虽为社会劳动生产力向上及货币流通发达之证明，然究始于何时，史无确说。顾炎武《日知录》第十二卷“俸禄”项下有云：

> 《太祖实录》洪武十年十月辛酉，制赐百官公田，以其租入，充俸禄之数。是国初此制未废，不知何年收职田以归之上而折俸钞。

不过，变制的年月，虽不详，但明代后来对于王公百官之给养，不颁以田土，而给以禄米或银钞，却是无可致疑的事实。

第三节　明代的庄园

大体上，明代的禄田，虽随中央集权化而改正为禄米。但庄园——特别是王公勋戚的庄园——依旧发达。

因为禄米制虽然制定，而赐田之制则并未废除。况明代所定的禄米，额数不多，由是王公勋戚不但有企图由庄园增加收入的机会，且有由此增加其收入的需求。

原来明代土地之制有二等，一为官田，一为民田。官田之中，有旧来的官田（即宋以来的官田），有还官田（即前代贵族富豪之庄园，随王朝颠覆，田主没落而归属于官家之田），有没官田（即因犯罪而没入官家之田），断入官田（即家系断绝，承续无人而归属于官家之田），此外还在其他种种名色的官田。在明代初年，其官田约占民田七分之一。此等大量官田的存在，当与庄园的发达，有密切的关联。现在且分述庄园发达过程中的几件重要事实。

一、赐与

专制君主手中存有这大量的官田，他对于王公，勋戚，宠遇者，或有勋功者，自然多所赐与。例如英宗正统六年梁王瞻垍死，其后嗣断绝，彼于是把他由故郢王所得的田宅园湖，悉赐与其兄襄王。又例如穆宗隆庆五年，有陆炳者没籍，其庄田二十二顷八十七亩，皆被转赐于皇戚李钰。当时有潞藩的庄田，竟达四万顷。然最代表的例子，则是福王的庄田。在明代将近末叶的时候，神宗于万历二十九年（西元一六〇一年），封三皇子为福王，欲赐与以河南的庄田四万顷。当时对于此举，曾发生赞否两论。由反对论所上的奏文，大可窥知当时一般庄园发达的梗概。据云，丰饶的河南之地，已经有周赵伊徽郑唐崇潞八王的庄田。若更以四万顷庄田化，则单是庄田，就要占河南全部耕地之半。然而此种反对理由，究不足以折服专制天子的好恶之情。结局，在河南求得膏腴之地一万一千余顷，在山东各地求得四千四百八十五顷，其余则求之于湖广，共凑成四万顷，赐与福王为庄田。——然此不过一例而已。明代由赐与设置的庄田，实所在皆是。

二、闲旷地的开垦

贵族由朝廷请得闲田，招农民耕种，由是使闲田变为熟田，变为他们的庄田。这是前代行过的庄田扩大法门，在明代亦是如此。

三、民业的收夺

明代收夺民业的方式，不一而足，例如贵族招农民开垦的闲田，大都是永远免租的；但闲田由开垦而进为熟田，他们对朝廷依然称为闲田，而同时则由此等诳报的闲田，而横取农民的地租。又或贵族们乘着耕地经界不明乃至丈量未行，而履亩丈量，以划出其余剩地而侵占之，又或奸民把自己开垦之田，投献于王公，而对朝廷则称之为闲田。

依上述种种事实，可知明代的庄田，主要为皇子王孙的庄田，即所谓皇庄。此类皇庄在武宗之世（西元一五〇一——一五二一年），已有三百余处。并且照前面所说，明末已有拥有四万顷土地的大领主存在。

事实上，明末受朝廷赐田以及侵夺民田者，除贵族外，还有勋族，所谓勋戚庄田，亦多半是此等方式形成。至其姻戚，有功于国者，宠遇者，殆莫不有取得并扩增其庄田的机会。

此外，明代颇重用回回教人，对于他们亦赐与有庄田，佛寺道观在先亦拥有广大庄田，但至明末，僧道却曾受到非常的压迫，其庄田亦遭没收。

就量的方面而论，明代庄田究对总耕地面积占有若何的比率，史无精确记载。但至明中叶之孝宗弘治二年（西元一四八九年），仅在畿内，已有皇庄五处，其面积合计一万二千八百余顷；勋戚中官的庄田三百三十二处，其面积合计三万三千余顷。把此两者合算起来，则在第十五世纪末期，畿内已存在有四万六千余顷庄田。换言之，就是单在畿内，已有四万六千农民——假定每一农民经营的耕地为一顷——化为庄户或庄园农奴。设使说庄田累代皆有增加，则以明朝末年的畿内庄田乃至全国的庄田，其面积，其所役使的庄园农奴，就一定皆占有莫大的数量。

庄田是由管庄官校（管庄之内官与校尉）所管理；其在皇庄，则是由太监或呼为旗校者所管理。此等庄田管理人，通常是在庄田的农奴（庄户）中或在“无赖”之徒中，选定呼为庄头的农奴长，使其充当直接监督农奴或庄客的任务。庄客或庄园农奴在全体现实耕作者中究占有如何的比率，亦无从确明知道。但在明之中叶即第十五世纪末叶，今日安徽省属之婺源县，计有户数一万七千一百四十五户，其中庄户占二百七十九户。——

此不过一例，在全般的数字上，也许还要占有较大的比率。

最后还须述及者，就是关于明代庄田的特质问题，即那种庄田，是否取得有不输不纳的特权的问题。原来在专制主义的局面下，是不允许严格意义的庄园的发达的。但在实际，或在专制主义统治弛缓疏懈的场合，究也不是绝对不允许不输性质的庄园的存在。关于此点，我们是可以由下面的种种实例来证明的，在第十五世纪末叶，即在宪宗的末年，中官近幸曾受赐有颇多的庄田，一旦获罪，则此等庄田返还官方，然朝廷依然“不以赋民”，即依然不向耕种此种庄田的农民，征取赋税。时有李敏者，请求由佃户取银三分以为亩科。可见当时的庄田主人，已有不输赋的情事。又如在明末万历年间（西元一五七三——一六一九年）怀远县有官屯性质的田地十五顷，属于怀远侯，灵璧县有同一性质的田地十八顷属于灵璧侯。原来这二府的田地，系由县民佃种纳租，迨归二侯所有，该府仍自行征租。根据此种事实，有人遂认为禄田是由政府征税，而支给以相当的禄米；惟有庄田则是由主人独立征收地租，对政府不输纳赋税，换言之，就是说庄田是站在税庄制圈外，非政府征税权所可及。事实上，不入特权，即有土地不载入版籍的特权，亦曾在某程限度内实行过。例如楚潞二藩的庄田，各各为五百十四顷与四百余顷。此两藩所领有的这些庄田，通是自行征收地租，并不加入州县行政单位的里甲中。楚藩有把头，潞藩有区头。迨至清代，此二藩始入州之掌管，而被编成楚潞二里，由此等实例看来，明代的庄田，就仿佛是立在普通土地行政圈外，而直接受特权阶级即此等所有者的支配。然此诸般实例，多半是现于明代中央集权统治已经失其控驭力的时期，而且就在这种时期，庄田亦并不一定在法律上取得有不输不入特权的根据，那至多不过是乘中央政权的动摇与弛懈，非法的不输不入罢了。

第四节　明末税制的变革

明代的田税，原系仿唐宋以来之制，分夏秋二期征收，称为夏税秋粮。夏税无过八月，秋粮无过明二月，所税以米麦付纳，号称本色；以银，钞，钱，绢代输，称为折色。在最初本色原为主要的租税形态。就税额而论，在太祖之世，对官田每亩课五升五合，对民田每亩课三升三合。徭役有种种名色：以户计曰甲役，以丁计曰均徭，上命非时曰杂役。徭役劳动之提供，称为力差；对此力差以货币代纳，则称为银差。

但至明末，其税法上曾施行一种极堪注意之变革。那种变革，就是折纳，特别是银纳的比重的增大。在神宗万历九年（西元一五八一年）曾实行一种称为条鞭法的税法。所谓条鞭法云云，即是把那些甲役，均徭，杂派等等力差，改为银纳，并将此等力差，随田赋的多寡，而加担于土地所有者方面，即“通计一省丁粮，均派一省徭役，于是均徭里甲与两税为一”。自是徭役大体银纳化。

然条鞭法行之未久，即徭役大体货币代纳化之后，又复课加徭役。所谓“条鞭法行十余年，规制顿紊，不能尽遵”。降及崇祯三年，河南巡抚范景文言：“民所患苦，莫如差役。钱粮有收户解户，驿递有马户，供应有行户，皆佥有力之家充之，名曰大户。究之，所佥非富民，中人之产，辄为之倾，自变为条鞭法，以境内之役，

均于境内之粮，宜少苏矣，乃民间仍岁奔走，罄资津贴，是条鞭法行而大户未尝革也。”（《明史·食货志》）

可是“以境内之役，均于境内之粮”，即徭役附带于田赋而计亩征收之举，虽由大户未革一点，而证示其未彻底施行，但此种条鞭法既立，户口调查乃不必要，由是明末以来，中国终至没有户口统计，只存有人口统计。

要之，当时占有地租之一部分的租税的货币代纳化的比重的加大；在条鞭法下的徭役银纳化的普及，以及以田赋为基础，而把徭役课担于土地所有者方面的事实，那虽然与俸禄一部分由银钞支给，和大土地所有兼并发达的事实，保有密切关联，但同时却显然表示着社会劳动生产力的相应的改进，以及货币流通的相应的发达。

第八章　中国中世的都市与商业

第一节　市制的变革

中国的都市，古来多环绕着城壁。城壁有一重两重甚或两重以上的。设为两重，其内部一重通常呼为子城（或牙城或小城），而在其外部者，则呼为罗城（或大城）。最重要的建筑物——如皇居或州县厅舍——通在子城内，子城外部，则为民居寺院等等集驻之所。

在子城外，罗城内，例有几条正规的直角交叉的道路，那就是街。因此，在罗城之内，由这些道路即街区划有方形的区域。这种区域，就是一般所称之坊。

原来坊在东西南北四方都有门；除了连结这些门的道路外，更还有若干道路。坊门日落关闭，天明开启。在先，坊原由墙围绕着。除了特定高官而外，其余皆不许向着街道开门。此外，街坊原有一种街鼓制度，当天明或日落的时候，例皆击鼓以定坊门的关闭。

自古代以来，中国即行着某种市政。最先交易是进行于一定地点，定期集会，交易各得其所而退。但后来始渐有常设店铺。在这种情形下，所谓“市”就有商店相并设立的商业区域的意味。市之主要特质有二：（一）定有一定的界域；（二）同业的商店，各集为街，其同业商店之街，开始呼为肆，列，后则专呼为行。要之，在原初市制存在的限内，商业区域皆有一定，而在此一定区域内进行的商业，皆为同业商店相集一处。

然而，像这种原初的坊制及市制，延及中世，已随商业的发达，而渐形瓦解。例如在宋代的时候，庶人已能任意当街建筑房屋，开设门面。由是，坊门的开闭，已无意义，而街鼓之制，亦相因废置。

至于市制，在唐之末叶，已随商业的发达，而归于废弛。那时的商店，有的已经设到市以外的区域了。迨至宋代，坊制全废，商店已可当街开设铺面；到南宋末年，且还有开设夜市的事。

总之，市制在唐代末叶已开始废弛，迨由五代以迄北宋，更因坊制之弛废，而益促其趋于崩坏，由是北宋中叶以来，中国旧来对于商业之空间时间的限制，均经解除：不论何处皆可开设商店；不论何时皆可经营商业。像此种变化的发生，要不外由于都市人口的增加，和其交通商业的繁盛，乃至财富的增大，换言之，要不外由于社会诸生产力的增进。

但是，中国旧来的市制，虽随商业的发达而崩坏，中国的商业都市，终究坚固的保持着封建的特质。前面讲过，中国封建局面下的商品交换基础，大体是由封建的农奴关系所剥削来的现物地租。而所谓都市，则不过是这种封建收入的分配中心地。自历代特别是宋代在封建官僚驻节的通都大邑设定均输市易一类官商不分的商业组织以后，中国的商业都市，就益发与封建主义发生了密接的联锁。

在另一方面，中国渗透有官僚组织的封建主义，它的中心不是在封建领地，而是在封建的都市。就因此故，社会农业生产力增进，即农业生产物的剩余部分增大，从而与农业结合的家内工业繁兴，都市商业乃现繁昌之象，换言之，即家内工业与农业的结合，直接决定都市经济。

由是，都市经济的兴替，主要就要看农业劳动生产力，从而农业劳动生产剩余是否增进。然而都市商业资本的封建性，或封建主义的商业性，结局必然要因商人与封建官僚的协力的榨取，使农业劳动生产力受到破坏；同时，由封建的政治设施的弛懈所引起的水灾旱灾，更会加深并扩大整个社会的不安，以致使封建的统治受到动摇。

在欧洲中世的末期，封建统治的动摇，恰好是都市获取“自由”，或由封建束缚解脱的机会；但中国型的都市，却不能取得并利用这种机会；因为它不但不能成为封建主义的对立物，且反而与封建主义结有存亡休戚与共的内缘。所以中国封建王朝每溃崩一次，中国的商业，从而中国的商业都市，都必然要随着蒙受一次致命的摧毁。

这也算是中国社会经济长期停滞在封建阶段的一个症结。

我们更从都市商业组织方面来进一步予以分析罢！

第二节　由“商行”到商业基尔特的推移

前面讲过，中国都市的商业区域，原先是限定于一定的区域之内，而称之为“市”，市在营业时间上受有限制；并且在市之中，不许各种商店杂列，其原则是同类的商店，相集于一处。此相集于一处的同业商店，在汉代以前称为肆，汉代称为市或市列，自六朝乃至隋代，始称为“行”。唐代大都市之“市”例皆备有种种色色的“行”，如肉行，铁行，花行，鞦辔行，秤行，绢行，药行，鱼行，金银行等等。沿及宋代及元代，所有主要都市，大体上皆各别相集有这种种色色的“行”。

不过，前面已经讲过，在宋朝时代，都市的组织，已因商业的发达而有所变更。商业区域的限制，已渐形弛废，商店已能在都会内到处开设；其结果，商店不但杂设在市区域内，且进而散在都城里面各处了。由是，旧来概称商业区域全体的“市”的名称，到这时乃只用以称呼旧来称为“行”的同业商店相集之所，——如肉市，药市，花市，米市等等。此种事实，至南宋时代已非常显著。在此变革过程中，旧来同业商店相并而成为市列的组织本身，乃不能不渐形弛废。换言之，就是在旧来的同一“行”内，得设置异种类的商店，同时，同一类的商店亦得设立于旧来同行以外。

就在此都市的变革过程中，农村方面亦发生变化，即在农村方面，渐渐有呼为“草市”的市集发达起来。所谓草市，即是县城外面农村中自然发生的小都邑。在唐代的时代，县不过区分为若干乡（村落）。然至宋代，在县的区划内，除乡以外，还置有镇。镇为小的都邑。降及南宋时代，小都邑尤多。乡，镇以外，还有称为市的地域团体。

像这种旧来都市组织的弛废，以及农村方面的自然发生的小都市的发达，归根结底，要不外由于中国中世社会劳动生产的增进，或由是导来的商业的发达。

特同业商店相集而为肆，而为列，虽由来已久，但古代在这类肆或列中，究竟是否形成某种组合，却是疑问，至少是我们现在还不曾发现关于古代之肆或列中的组合的材料。然至中世，在“行”的名称下开设商店的同业商人，却显然形成了一种组合，此组合亦多称“行”。其组合员则呼为行商，行人，行户。

像此种组合，恐怕在唐代已经存在。其职能在最初或系举行共同祭祀，不久则变而为追求共同的商业上的利益。特中国中世的这种组合或基尔特的发生，与欧洲中世的基尔特的发生，有其不同的特质。欧洲都市的商人基尔特，是在与当时封建组织对立的基点上发达起来的，而中国中世的基尔特，则是由商人与封建官僚的协力所形成。因欧洲都市是有其独立性的，把握着都市商业特权的商人基尔特组织，它的主要任务，是要对一切外部的暴力的（封建势力的）干涉，而保护市场。然而中国的商人，或中国的都市商业，其本身就与封建势力结了休戚相关的不解之缘。从而，中国的商人组合或商人基尔特，就是封建官僚卵育下发展起来的。因为商人的利益由此得到保障，而带着极浓厚的“商业精神”的官僚封建的利益，自然亦得到保障。在这种情势下，中国的商业组合或基尔特的权力，乃不能不从属于最高的地方官长。就因此封建的结托关系，其统制权乃得扩延到种种方面。

就组织上讲，中国旧例坊有坊正，村有村正，而此备具有组合或基尔特机能的行，亦同样设置有行头（或行首行老）；行头的职务，带有徭役义务的性质，由官厅所指命。不过，他同时是一个同业商人的自治组织的头目。他一面对于官厅负有检察同行内商人之不法举动的任务，另一方面却不能不在某种限度内成就其自治组织之头目的机能。

随着商业发达，与商业共同利益要求的增大，带有独占性的商人基尔特，乃以组织方面益形强化。然而这是宋代的事。因为旧时市制在宋代渐形崩溃，以前同业商店的独占利益，自然受到威胁。为克服这种威胁，各行势不能不设法强化其团体组织。此后元代明代亦沿此趋势而迈进。由清朝以至于最近，吾人还不难探得此种由中世传承下来的基尔特的遗制。特经济情势丕变，基尔特组织亦不得不变更其形态与特质。

近代中国各地存在的会馆与公所，大体都不失为旧来基尔特变形物。会馆初见于明之末叶。当时不过为同乡人的寄宿所。但不久即变为同乡人团体，更为同乡而且同业的商人组合。像这种商人基尔特式的会馆，其组成目的，主要就是同乡商人为对抗其所在都市之土著商人的迫害，而拥护共同的利益。同时，土著商人亦为保护自己的共同利益，而仿效外来商人结成组合；而其所结成的组合，亦同样称为会馆。由是在明末清初，就到处产生了这种基尔特式的会馆。

所谓公所，原来不过一种公共营造物，至清代中叶以后，遂主要成为土著商人的组合。换言之，就是土著商人的基尔特式的公所，那是乾隆以后才发生的。

特公所也好，会馆也好，大体上虽具有商人图谋共同利益的机能，但与过去统制企业内部组织，统制商业上一般条件，乃至设定商业上的习惯，决定货币价值及商业上所使用的度量衡等等的那种基尔特的实务较量起来，却就大改旧观了。

第三节　货币与商业资本

货币是商业所由周转流通的机轴。

社会劳动生产力增进，农业乃至家内工业的剩余生产增多，商业当因而发展；而对商业之周转流通立于机轴地位的货币，亦自不能不有所改进。

中世货币本身的改进，可由以次两点予以考察，一是银之使用的频繁，一是纸币的流通。

银在秦代以前，本不曾用作货币；前汉武帝及王莽时代虽一度定为货币，然不久即予废除。至南北朝时代，其使用渐趋发达，迄乎唐代，金银已正式当作货币使用。特其使用范围只及于上流阶级或大规模交易的场合。事实上，唐代的货币，为钱，绢，金银三种；钱用最广，绢次之，金银又次之，而在金银中，银之应用，又较金为广。

迄乎宋代，在大规模交易场合，虽还用绢，但其应用的范围与程度，已不若唐代，同时铜钱，铁钱，锡钱杂用，而金银的使用，则益形发达。租税与俸禄，已有一部分用金银支付。不过当时的金银，仍非铸币，而为地金。民间的金银商店皆可铸造，其形式有如板形之铤，有如馒头形之饼，有类似札形之牌，一个的重量，在银有约五十两，约二十五两，及约十二两五钱的三种。若金之重量，则不知其详，大约普通为十两。

在南宋时代占据着中国北方的金国，亦曾铸一两到五两的银货五种。当时因为铸钱的原料（铜）缺乏，曾禁用钱而发行纸币，但纸币强制推行的结果，终至促起银块更频繁的使用；一般人不肯接受纸币，就是零星的交易，亦应用银货了。

元代在强行纸币专用政策之下，金银当作货币通用的现象，虽然阻止，然至明代，金银，特别是银，又复盛行起来。

本来在明代初期，铸有种种色色的钱，又流行有各种纸币，所以在太祖洪武之世，禁止以金银为货币。其后成祖，仁宗，宣宗均申此禁令，然实际仍使用不已，就中尤以银之流通为特盛，至英宗正统中（西元一四三六——一四四九年）遂不得已弛此禁令，听民以银付纳租税。自是银之使用，一年一年趋于旺盛。对于大规模的卖买固不必说，就是在小价格的交易上，在工资支付上，乃至在其他社会各方面，皆彻底通行银货。在此银货盛行的当中，而金反渐次不作货币使用，而成为货币以上的财宝。

总之，由唐代以至于明末，银之使用，大体是一直的趋于频繁，进于普遍。货币由布帛而钱币，而银货，这是商业由简趋繁的必然反映。而纸币的流通，亦不外基于此种实际要求。

纸币发端于唐代，唐高宗永徽年间曾印“大唐宝钞”，以后至宪宗时，又曾印行一种称为“飞钱”的纸币。迄乎宋代，纸币之用益广。北宋时有“交子”“钱引”，南宋高宗更印“会子”“关子”，特此四种纸币通用的范围，各有不同；大约“交子”最初是流行于四川，以后则渐及陕西河南江南等地；“会子”行于两浙，以后渐及淮浙湖北京西诸州；“关子”原系因婺州水路不通，钱币输送困难，因印此为有钱之证明，故只行于婺州，而“钱引”则通行于各路。

在南宋时代建立于中国北部之金国，曾仿行宋代印行称为“交钞”的纸币，但以后因为滥造滥发，致于停滞不用。元代在世祖忽必烈之世，曾强行纸币专用政策，印行“中统元宝钞”（由十文至二贯文，凡九等）及至元宝钞（由五文至至二贯文，凡十一等），置于各路平准库，凡金银之买卖，必在平准库进行，民间不得私行买卖。在平准库中买卖金银，就是持“中统”“至元”两种纸币者，可往平准库兑换金银，而有金银者，亦得往平准库购买纸兑。假若人民群赴平准库买卖金银，则吸收利用民间的金银，即可充纸币的兑换准备，而图纸币流通的圆滑运行。但无奈人民对于买卖金银，终不肯赴平准库进行，而一味私相授受，于是这种纸币政策归于失败了。

明代于洪武七年设“宝钞提举司”，为专门发行纸币机关。至翌年即开始印制“大明通用宝钞”。自后所有印制纸币，均用洪武年号。所印纸币凡六种：计为一贯，五百文，四百文，三百文，二百文，一百文。值一贯之钞，准兑钱一千，或银一两，四贯则换黄金一两。禁止人民以金银物货交易，违者重罚；其后因纸币难信用，至英宗时，乃严申法令，对宝钞怀疑不用者，罚万贯，全家充军。但专制的横暴法令，终无法抬高纸币价值，嘉靖四年，钞一贯，仅折银三厘，而且此率犹系官家所定，实际犹远低于此；同时，向所禁止人民私相交易之银，至是则成为一切大小交易支付的流通手段。

由上面的考察，我们知道：第一，银与纸币，几乎同是盛行于中世后期；第二，银与纸币之所以盛行，均不外由于供应商业发达的要求；第三，银与纸两者，又系相辅相依为用。

特我们在此所应注意之点，就是，看银特别是看纸币在商业活动方面，究扮演了怎样的角色。

纸币发端于唐代，前已言之。《文献通考》对于唐发印纸币之源起，会有以次之说明，谓“唐以来，始置为飞券钞引之属，以通商贾之厚赍贸易者，其法盖执券引以取钱”。而《唐书·食货志》关于此种意见之更具体说明，则是说当时铸钱的硬金属（铜）缺乏，致禁钱通过州县境界，如“贞元初，骆谷散关禁行人以一钱出者。……十年，民间钱益少，缯帛价轻，州县禁钱不出境，商贾皆绝。……宪宗以钱少，复禁用铜器。时商贾至京师委钱诸道进奏院及诸军诸使；富家以轻装趋四方，合券乃取之，号‘飞钱’”。由此可知唐宪宗时代的“飞钱”就是在“钱不出境，商贾皆绝的情况下产生的。此种不携实款而凭券取钱的办法，正是后世汇兑之滥觞。汇兑方法发明，其益便商业资本当非浅鲜”。

宋代“会子交子之法，盖有取于唐之‘飞钱’，真宗时，张咏镇蜀，患蜀人铁钱重不便贸易，设质剂之法，一交一缗，以三年为一界而换之，六十五年为二十二界，谓之交子。富民十六户主之，后富民赀稍衰，不能偿所负，争讼不息”，于是官厅见其影响甚大，乃收回官办。

是“交子”制度之产生，原为图商贾的便利。然唐代其他纸币如“会子”“关子”等等之发行，虽于便利商旅不无关系，但政府财政支绌，直接借此为生财之道，则为其主要原因，所以结局都弄到发印太多，兑换本钱过少，以致纸币因市价惨落而归于停滞。在此种局面下，一部分奸商，虽缘此受到不少利益，但在全部商业资本的运转上，则难免不发生障害作用。

元代的纸币政策，前已讲过了，史载其结果是“印造‘交钞’，令民间通用，行之未久，物价腾踊，价逾十倍。又值海内大乱，军储供给，赏赐犒劳，每日印造，不可胜计。斗车装运，轴轳相接。交料之散满人间者，无处无之，昏软者不复行用。京师料钞十锭易斗粟不可得。既而所在郡县，皆以物货相贸易，公私所积之钞。遂俱不行”。通货膨胀政策的强制通行，致郡县不得已而以物货相贸易：论者以此为元代致亡的症结。明代惩元之弊，最初原不作纸币的冒险，但此后政府贪图“印刷生产”之便利，终至使“大明宝钞”变为不兑换纸币。然明代在纸币跌价的过程中，随即弛解以银作为货币流通之禁，故对于当时的商业交易，尚不曾惹起何等严重事态。

要之，银与纸币的行使，于中世中国商业循环的周转上，当然尽了不少的促进作用。在封建主义由现物地租分配关系，而带有商业性质的限内，封建官僚自然有行使种种便利商业设施之必要。但在另一方面，封建主义与商业资本之间，究有其不能苟合之矛盾要素存在。所以封建统治者往往利用其无限制的权力，以侵渔商业资本。在以货币为中心的关系上，由官厅保证的纸币，原为便利商业；但专制统治者因行使纸币有利可图，遂由滥发纸币以破坏商业资本，可是在商业资本受到破坏的限内，封建统治本身的商业性质，即相因而受到摧残，换言之，即构成商品交换基础的现物地租或剩余生产物的分配，将因此受到阻滞，由是反过来予封建统治以致命的打击。

这是中世特别是宋元明历代都经验过的事实，我们由此更可进一步明了中国封建主义的特质。

第四节　外国贸易

中国的对外贸易，自秦汉时代已开其端绪。在两汉时代，大体在陆上是与西域诸国交易，而在后则是南方的海上贸易占着优越地位。汉与西域诸国之陆上交通，系由张骞奉诏出使大月氏，历游安息，身毒归来后，始稍发达。当时中国的政治势力，远及于今日新疆，俄罗斯土耳其斯坦及波斯等地的国家；那些国家相率入贡中国，同时并开拓通商贸易之路；波斯的真珠，东罗马的织物一类珍奇货物，至是已输入中国。至南方海上的交通贸易，在秦统一中国之前，已露其萌芽。自是中国商人南抵印度南端，而埃及人希腊人则往来印度，时或到达安南。在西元第一世纪中顷，即后汉初期，埃及人已知开始利用季节风，由是，中国方面与波斯方面的交通，乃年复一年的发达起来。大约由阿拉伯南洋方面航来中国南部广东一带的船舶，每年是乘南风于夏季五六月北来，到冬季十一二月始就北风而南去。

延及魏晋南北朝时代，中国的对外贸易愈倾重于海道。然海外贸易的兴盛期，则是开始于唐代。唐时代在中国西部勃兴起来的，有大食国，即阿拉伯国，阿拉伯人当时曾雄飞海上，使亚洲南部的贸易，得到空前的发展。迄乎宋元之际，此一方面的交通贸易，且有更大的进展。在唐代，其对外贸易港，以广州明州扬州为最著，就中，广州还设有市舶司，以处理贸易事务。宋代除上述三地外，还于杭州，温州，秀州（今日江苏松江县），江阴，密州，板桥镇（今日青岛）及澉浦（今日浙江海盐县），置有市舶司或市舶事务所。阿拉伯人，锡兰人以及南洋诸国人，曾远来此等港市，当时还为他们设有称为“蕃坊”的居留地。而中国的商船，这时亦经锡兰等地而达波斯湾。中国商船异常坚牢巨大，其驾驶员之数，往往逾过千人。故阿拉伯人来东方者，往往在印度至中国的海途中，乘坐较其本国船优良的中国船。中国的海外贸易，这时实异常旺盛。

元代大帝国建立成功后，中国陆地与中亚细亚西域等地的贸易，当然得到一拓展机会。然此种机会，由元之大帝国的倾覆，而归于丧失；而在这以后不久，明代又因倭寇与海贼之侵扰，禁止国人作海外航行。当时这种禁令，虽不一定彻底实行，阿拉伯人，南洋各地人虽还是连续来到中国，但国外贸易终不能不由此受到一大顿挫。

可是就在这前后，冒险航海的事业，在欧洲方面勃然大兴起来。葡萄牙意大利人先后发现了东西的航路。由是，欧洲人都争先恐后的杀到亚洲方面来；在明武宗正德十二年（西元一五一七年）葡萄牙人航来中国，在明神宗万历三年（西元一五七五年）西班牙人接踵而至了。结局，明代由倭寇侵扰受到了阻滞的海外贸易，至明末清初又渐渐恢复过来。

至关于中国中世对外贸易的性质，据阿拉伯人所传，唐代系对外国输入货物，征取关税十分之三。宋代对输入品抽解十分之一乃至十分之四，然在实际，其外国贸易可视为是由国家行使独占。宋代贸易的渐次发达，其独占乃更形强化。由海外输入的香药与宝货（如犀象，珊瑚，琥珀，玛瑙，玳瑁，珠玉等），先须出卖于市舶司，再由市舶司或官方出卖于民间，官方在此买卖价格的差额上，获取莫大的利益，所以对于“私与蕃国人贸易者，计直满百钱以上论罪，十五贯以上黥面流海岛，过此送阙下。”元自世祖忽必烈定江南即规定：凡邻海诸郡与蕃国往还，互易舶货者，其货以十分取一，粗者十五分取一。此后曾于至元二十一年，设市舶都转运司于杭泉二州，官自具船给本选人入番贸易诸货，其所获之息，以十分为率，官取其七，所易人得其三。为保障国家对外贸易利润的独占，即令权势之家，亦不许其用己钱入番为贾，犯者罪之，且没收其家产之半。由此可知宋元的对外贸易，大抵皆由国家行使独占，特其独占的方式不尽相同罢了。宋代由对外贸易所获的利益，在北宋初期，每岁收入近三十万乃至五十万缗，迨至南宋之初，竟增为二百万缗，占国家岁入二十分之一。元代由此获得的利益，数字不详，但在海陆两方面，一定能挣到颇大的额数。

当时输入的商品，主要为贵族达官们享用的奢侈品，如香药，犀角，象牙，珊瑚，琥珀等。而其主要输出品，则为金，银，铜钱，铅，锡，绢，窑器等。所以对外贸易愈繁盛，金银，特别是铜钱的海外流出，乃愈形严重化。如唐宋诸代，就曾为了金属流出危及其货币制度，而禁止以金，银，铜，铁，与蕃人互市。然而在贵族达官们的奢侈需要须得满足，同时除此等金属以外，又无适当对换物以满足蕃人需求的限内，金银特别是铜钱的大量流出，又成为一无可避免的现象。

第七编

官僚主义封建制的完成及其崩溃时代

序说

由明代建立的中央集权的封建局面，至其末叶，乃渐依中国专制主义封建制的内在矛盾的作用，而日复一日的归于分解，在此分解过程中，重复又由社会生产诸力与国力的衰退，而导来外部的侵入。在西元一六六一年明室终被牧人种族的女真所覆灭，从此中国又被置于其“东北夷”之一部族的支配之下。

前面讲过，在十二世纪初头，女真曾由完颜部族所树立的金国，侵入中国北部，将宋驱于江南，而在中原大陆确立约一世纪间的统治。迨第十三世纪初头蒙古兴起，彼等乃为成吉思汗所征服，自是即长久沉沦于东北地方。至第十四纪末叶，明室兴起，蒙古被驱往漠北。同时，明室对女真，乃分三部分予以支配。第一，海西女真，(明代称女真)，居于海西等处；第二，建州女真，居于建州毛邻等处；第三，野人女真，居于满洲的极北部。在此三部分中，野人女真去中国甚远，故朝贡不常，而海西建州两女真，则每岁对明廷上进朝贡。

所谓清朝或满朝即由明代呼为“东北夷”的建州女真所树立的王朝。建州女真初在牡丹江与松花江合流之处，即今日之三姓地方附近，从事耕牧。明成祖永乐帝曾任酋长阿哈出为建州卫之指挥使予以统率。然不久以后，此部族即分为两枝南迁，本部由阿哈出统率，定居于吉林省城附近，其他一枝则称为斡朵里女真，定住于图们江流域。永乐帝以后者为建州左卫，任酋长猛哥帖木儿为指挥使。然此斡朵里女真后来又出辽东而投寄于建州卫之地。

在第十六世纪末叶，建州一枝部酋长名佟努尔哈赤（佟其姓，努尔哈赤为名）者出，渐次并合诸部族，而着手于国家体制的组织。明神宗万历十七年（西元一五八九年）任佟努尔哈赤为建州之都督佥事。在先女真在其建立金国的时代，其固有文字，在长久沉沦流转中，业经丧失。在西元一五九九年，努尔哈赤乃集蒙古字，以创造自己的国字。此即满人文字的起源。至西元一六一六年，彼即创建新国家，号曰金（或称后金），自即可汗位。不久以后，此金国可汗（后为清太祖）即率建州八旗之兵（每旗七千五百人，八旗约六万人）破明兵九万，而夺取辽东之首府辽阳。

此后太宗立，于西元一六四〇年改国号为清。自是，清兵不时侵入明国内地。明代至于末叶，已渐丧失其国家统制力，总督，巡抚，总兵等，虽各拥有大兵，但彼此形成割据局面，缺乏统一，由是明兵在清军之前，相继崩溃，且相率投入流寇之群。斯时中原大陆，已逐次因清兵的侵扰，而渐归于荒废。明之中央集权既已化为有名无实，于是治水设施弛废，水旱灾害激发，饥荒时起，饥民亦转化为流寇。在这种局面下，“东北夷”的侵入，当更易促其内部的解体。结局，明代乃完全丧失其存在理由。

适会明之叛徒中，有李自成者指导流寇，占据西安，更于西元一六四四年侵陷首都北京，致明之崇祯皇帝迫而自杀。明将吴三桂为讨伐李自成而乞援清国，清军遂利用此大好机会，摧破李军，进入北京。就在这同一年度，世祖代太宗即位，迁其首都于北京。时中国南部由明臣拥立有明之宗君；世祖先后令清军追讨扫灭。在西元一六六二年，明之宗社完全灭亡，而清代则由康熙帝代世祖而即帝位。

清朝在最初一个半世纪中，其支配者皆称杰出。在康熙（西元一六六二——一七二三年）及乾隆（西元一七三六——一七九六年）之世，大清帝国实达于极盛期。当时既已完全支配满洲之地，并并合内外蒙古。康熙时代曾削平当时曾割据中国南部的三藩——此三藩有两者在广东福建，其余吴三桂则称王于云南，吴三桂对行政及财政，皆独立，并拥有多数藩庄，此外，更自开矿山，自征盐税——更进而领有台湾，合并西藏，略取青海。迨至乾隆帝复在西方平定伊犁（准噶尔诸部族）及土耳其斯坦（回教族）；在南方远征安南及缅甸，并使其朝贡清廷。至东方的朝鲜，在太宗时代，已将其征服，而置于宗属关系之下，岁时朝贡。由是大清帝国的领土异常扩张，其人口亦颇为激增。

同时在内政方面，则依战略的见地，将全国所有的冲要之地，置卫以配置八旗（满人）绿营（汉人），而在政治设施上，则大体缵承旧制而使中央集权进一步强化。例如，中央设有军机处，军机处实类天子的秘书处，但其所处理的事务，不仅关系军国机要，且及于全般政治，所有议政大臣（贵族会议）及内阁，皆直隶于其下。故朝廷一纸公文，对总督巡抚亦得自由左右。并且，清代为防止暴动与叛乱，尝采行一种所谓回避政策，即官吏不得在其出身的省内就职。例如，山东人不能做山东的行政官吏。不但此也，此种回避政策，还行于血属方面，即极近亲者不得任官于同衙门。此外，官职还有外缺京缺之别。地方官职，不能由地方厅任命，而必待中央的差遣（京缺）。中央对于地方官吏，常予以更迭；各省行政的责任更妥为配列于若干人之间，使其互相牵制。而尤其重要的，则是在满人汉人之间所设的规律。当时所谓“满汉两缺之分”。所谓缺，即官职；应以满人充当的官职，不得以汉人充当，而必得以满人充当，如南京保定（直隶）的总督，即其一例。在用汉人为大官的场合，必定并置一满人以与之拮抗；上达于朝廷的文书，须由两者副署。

要之，在内政方面，此征服者的外族，算是完成了绝对主义的组织与制度，而使中国典型的专制主义封建制，达到相当贯彻的完密的程度。

不过，满人统治在内政上，与元代蒙古人统治的情形，有一极其不同之点，就是前者对于中央的大官，亦容纳汉人，并且一切地方的官职，皆对汉人开放。任用汉人而同时多方钳制汉人，这是满人较蒙古人统治高明的地方。然而，在国内政治安定，经济发达，制度文物兴隆的当中，此“东北夷”的满人，不久乃渐为文化较高的汉人所同化，由是丧失其前此对文弱汉人具有优势的野蛮性，以致使其征服者的地位，受到动摇。

不过，满人帝国的萎弱与颠覆，那仍是要从经济变动上去找寻答案的。

第一章　满人对于土地的收夺与分配

第一节　土地收夺的实况

满族既征服中国，它对于土地的处理，殆与其祖先金人取的一个途径。

此“东北夷”的诸王及其八旗的士卒们，例皆收夺汉人的土地，以圈为标帜，谓之圈地。世祖在顺治元年（西元一六六四年）“进入北京时，即颁谕户部，其大意是说：近京各州县无主荒田，及前明皇族，驸马，公，侯，伯，内监，寇乱者的没田之类的无主庄园，为数颇多，户部宜予以精查，假若本主还存在，或其子弟还有存在者，则酌量给予，其余尽分给于诸王，勋臣，兵丁人等；此非以土地为利，盖因诸王，勋臣，兵丁人等无处安插，不得已而出此”。

此外又令各府，州，县，乡，村，分置汉满人，治理各各之疆界，以防他日的争端。

照此所述，世祖时代所收夺的土地，似乎还只限于无主之田，或前代贵族达官的庄园。并且此诏令还大发慈悲的对于此等庄园有主者，有后裔者，允其留下一部分；最后，又怕满人任意收夺汉人的土地，而命各府，州，县，乡，村经理疆界。

然而事实上，征服者满人是不会对于汉人如此爱惜的。当时被收夺的土地，并不限于旧时贵族的庄田，和丧乱后的无主之田；而且，被称为“东北夷”的旗人，对于其所收夺的土地，因拙于耕种，收获有限，且由彼等耕耘不久，即成硗瘠。由是彼等更要求更换良田。清廷往往夺汉人之熟田，以与旗人，而旗人并时常不待朝廷之命令，自行收夺汉人的田房。例如，顺治元年对户部的诏令，原令其在汉人满人土地之间，妥定疆界，但次年却又对户部发这样的诏谕，谓民间的田房，有被旗人指圈而改换他处者，则当视其田产的美恶，而速予补给。旗人既可任意圈地，或指圈田房，还用得着什么疆界！

除此“圈地”外，各省驻防的旗军，还设定有称为“马厂”的马料田。马料田是由汉人那里任意收夺来的，那当然不在话下。

要之，汉族在满人的统治下，他们同样饱受了过去一切蛮族侵入所受过的痛苦经验。就土地及其他财产方面讲，他们全都陷在随时有被收夺的惨酷地位。

第二节　被收夺土地的分配状态

关于清代的身份制的土地所有，换言之，即关于征服种族所收夺的土地的分配，大抵可以分作以次几点观察。

一、皇室庄田

通常所谓官庄，计包含有皇室庄田，宗室庄田，八旗庄田及驻防庄田等等。所有这些庄田，名义上虽称之为官庄，考其实际，究不外满族由汉人收夺过来，然后再在彼等自身之间，依身份制分配的结果。这里且先就皇室庄田来考察。

皇室庄田在管辖上，通常小分为五个部类，即内务府，户部，礼部，工部及三陵等等官庄。不过，那在本质上，并不能视为有宫中府中之别，所有这些，通算是皇室为自身保留下来的庄田。这些庄田的成立与扩增，大体系依以次种种方法：第一，有的是汉人自己以土地投奉过来的；第二，是对明代皇庄，庄田及其他类似官庄的承继与收夺，对荒地的招派壮丁开垦，对种种违禁或失脚官民的土地的没有。属于第一项者，称为“带地投充”官庄；属于第二项者，称为“承领地”官庄。但名目尽管不同，其实都不外是对于汉人的田地的侵渔与收夺。

所有上述种种色色的官庄，都非采行奴隶的经营，而是由那些呼为庄丁或官庄佃户的农奴，以小经营的方法，从事耕作。至庄丁与佃户不同之点，只是前者为旗丁，后者则是结有永佃关系的一般农民。此外，在官庄的耕作者中，还有呼为现租户的隶农，但为数有限，无关重要。

在官庄之中，每庄必置有一个庄头。庄头为官庄之实地管理者，同时又为农奴的头目。他的职务为世袭。

他对上峰负有督率庄丁佃户，并管理官庄的全责。调查丁佃的户口，制就一定簿册呈献有司，那亦是他非做不可的。此外，最重要的职责，就是征取庄租，奉纳庄租。每庄的庄租，皆有一定额数，过此以上的剩余，他可以中饱。他并且还可以任免庄丁或佃户。

二、宗室庄田

此即王公的庄园。就其成立的过程言，那是由受赏地（圈地，分封地等），前述“带地投充”及私设庄园而形成而扩张的。清代在康熙以后，对于受封的王公，每每拨给以定额的土地。至私设庄园中之重要者，就是前面述过的马厂之类的庄田。宗室庄田的经营与管理，大体与皇室庄田同，所以不再叙述了。

三、旗地

所谓八旗庄田，即拨给于有旗籍者——满洲八旗，蒙古汉军八旗的成员——的庄田。就中，当然是以满洲八旗的庄田，占有最多的数量。满洲八旗系设于清太祖之世，其后合并蒙古，并领有中国，于是又编成蒙古八旗，汉军八旗。全部共二十四旗。但依然以满洲八旗为其常备军的骨干。当清室略取中国本部时，曾对于那些属于八旗的各宗室，军将及兵丁，分别分给以多多少少的土地。通盘计算，由此分给的土地数量，一定颇多。因为每旗为七千五百人，单是满洲八旗，就有六万人分受土地，每人平均只给一顷，满洲八旗就得占有六万顷之多，况实际还大大超过此种额数。其后蒙古八旗及汉军八旗分别编成，他们亦多少分受有庄田，特不能与满洲八旗相提并论。满洲八旗的庄田，主要是以直隶为中心，而散在于满洲，陕西，甘肃，浙江等地，至前面指述过的驻防庄田，那是散在于满洲直隶各地，八旗的官兵，即依此为其在职中的给养。

八旗庄田并不仅限于朝廷分给的（圈拨的）土地。所谓“带地投充”庄田以及荒地的开垦，皆曾使八旗庄田大大扩充。

八旗庄田通为不输租土地。旗人获有此种特权，乃因其对皇帝负担有服军役的义务。此种庄田既系依其身份而给予，故例为世袭。若旗人去其旗籍，则将随而丧失其庄田所有权。要之，八旗庄田具有一种种族财产的性质，不许对汉人行使买卖让渡，在西元一八九八年以前，一般旗人皆不得从事商业。但他们后来因为长与汉人文化相接触，且习为故常，于是乃不能不逐渐依存于商业及高利贷资本。在这种情势下，禁止庄田的买卖，就势所难行了。一八五三年关于旗地买卖让渡的禁令，终于取消。自是旗地买卖盛行；以前散在直隶满洲等地的旗地，多半归属了汉人，同时满洲的王公，亦当然兼并集中了不少的部分。结局，许多旗人都因此丧失其身份，而转落为皇室庄田王公庄田的庄丁。

四、屯田

屯田原为极古的制度，沿至清代，则因其军队的近代化，而渐有趋于消灭的倾向。远在西元前一世纪，即前汉时代，为防备匈奴的侵入，乃招壮丁往今日甘肃地方，一面防敌，一面耕种，由耕种所得的收获，用作其防敌的给养。此为屯田制度之由来。此后历代为防外族侵入，或小封建国家为相互争夺霸权，乃皆于军事重要地方，设置屯田，移壮丁以经营农业，同时并从事军役。屯田例皆禁止买卖。在屯田方面耕作者，其权利为不输租税，而其所负义务则是服从军役。

此后，随时代的演化——屯田之设，乃不仅为充当国境或都邑的守备，且有为维持大河川之堰堤或堤防，或为漕运国家现物税之便而设立者。例如明代在驱逐蒙古以后，单在北边一带，就曾进行约七万户的军事移民。至第十六世纪末叶乃至第十七世纪初头，其屯田的总面积，已达到六十四万以上。然至清代，屯田的意义，已渐减少了。因为第一，如前面讲过的，其兵制已大大变革；第二，国家的现物税，有一部分为银纳（即前面讲过的折色），其余一部分现物税（即前讲的本色）则经由海运。在一七五三年，清代的屯田总面积，还不到二十六万顷。屯田在清代既逐渐丧失其存立的意义，由是以前屯田耕作者的徭役提供，乃逐次转化为地税的付纳。屯田虽然依旧禁止典押转卖，但不耐地税诛求的耕作者，事实上都相率处分其田地。至第十九世纪末叶，大部分的屯田，已早不存于原来所有者的掌握中。由是在西元一八九八年，乃以敕令废止军田。中国屯田的历史，至是乃宣告终结。

五、官田

通常包括在官田中者，单为借田，牧田，祭田及学田。就此各种田的性质看来，概称为官田，虽不一定妥当，然从来如此称法，只好人云亦云了。借田原为天子亲自蹈土耕种之田；牧地是使壮丁附着于牧场，开垦荒地，以供马粮之田；祭田是对圣贤后裔赐与之田——孔孟的后裔，在山东直隶受赐有颇多的田地；而学田，则是为充当贫士修学费用之田地。所有这种种官田，通免国税。

六、寺庙地

如前面所讲过的，中国在中世之初，寺观特别是寺院曾兼并有莫大的土地财产。至唐之末叶，寺院曾受到政府压迫，庞大的寺院庄园皆遭没收——例如在西元八四五年，武宗毁佛寺四万余，迫令还俗的僧尼二十六万余。此后寺院特别是寺观又集积有相当的土地财产。至明之末叶，曾再度遭受没收。降及清代，寺院及寺观的土地财产，在量上，在质上，都不能像中世那样发达，但通体而论，其所占土地的额数，当亦颇有可观。

第二章　旧来中国工业的生产过程

第一节　中国工业小史

关于中国旧来的工业，在中世以前者，已经大略分别提述过，这里更从古代顺序简述其发展至近世的一般概况，那于理解中国工业发展的全般历史过程，也许不无多少益助罢。

据《禹贡》所传，在西元前二二〇〇年代的夏禹时代，九州各地方有种种土产乃至手工品，如漆，丝，织文，纤纩等等，以为其提供朝廷之“贡”。这些手工品如其在当时实际存在，首先必得探究其依何种方法生产出来，然而关于当时的劳动样式，以及那些手工品所由生产出来的人类社会关系，惜毫无所传。

又据《周礼·考工记》所说，有虞氏（舜）贵陶。

夏后氏（禹）尊匠——因其治洪水，尽力乎沟洫——殷人上梓，周人尊舆。果如所传，则中国制陶器制车等等手工业，在极古时代已经存在。

然而如前面所说，中国文字至殷末还在形成过程中，即中国社会至殷末周初始入历史阶段。所以有史以前的传说，我们只好当作传说。这里且从周代追求中国工业的源起。

据《考工记》所载，在周的时代，中国各地已知用竹木，土石，皮革，金属等等材料，而加以制作。当时社会有六种分业，工即其中之一，手工业者呼为“百工”；百工之中，又分有种种名色，而其从属于掌理百工之事官者，计攻木之工凡七，其分作之业务为轮，舆，弓，卢，匠，车，梓；攻金之工凡六，其分业为筑，冶，凫，栗，段，桃；攻皮之工五，所分为函，鲍，辉，韦，裘；设色之工五，所分为画，缋，钟，筐，㡃；括摩之工五，所分为玉，楖，雕，矢，磬；搏埴之工二，所分为陶为旊。在“百”工之中，周室最尊重木工，就中，尤尊敬舆业，而舆业上之协业活动的发达，亦为他种工业之冠。马克斯（K.Marx）讲过，制造业的发生，有两个样式：其一为多数从事同一乃至类似作业的手工业者，同时为同一资本家雇用在同一作业场中的样式，如制纸或制造针的作业是；又其一为一生产物在完成以前所须经手的各种独立手工业劳动者，在同一资本家指挥之下，而统合于同一作业场中的样式，如制造备有装饰的马车的作业是。“马车是大多数独立手工业者如车匠，马具师，裁缝，锭工，带工，施盘工，缘饰工，玻璃细工，画工，涂色工，乃至镀金工之类的劳动的总生产物。”周代之舆的制造，正可说是发达到了类似制造业的协业形态。在这种协业形态上所聚集的工人，第一，有“轮人”制轮制盖，而在制轮当中，先得有制作三材——毂，辐，牙——者，所谓“三材既具，巧者和之”；第二，有“舆人”制车（即舆）；第三，有“辀人”制辀即车辕。所有这种种的制作，都是在分业与协业，或分工与协作的劳动样式下，由那些从属于官方的多数世袭的手工业者，在官设的作业场中进行。

中国之绢，古代颇为著名。据说，在秦汉之际，中国所制之绢，已传于欧洲。即古代罗马之绢的生产，系由希腊传入，希腊则由波斯传授，波斯更由中国学去。

然在中国周代，对于此“治丝麻以成之”的业作，一般都由家庭妇人担当，即主要为家内工作。特周代在官方还设有掌贡纳之丝的“典丝”之官。“典丝”之官将此贡纳之丝，颁于内外工人；“染人”掌染丝帛之务，“典妇功”则一般掌“妇式之法”，在官的指挥下，从事织物生产。像此种生产，亦可视为是官设作业场中的类似制造业的协业形态。

在春秋战国时代，随着中国文化圈的扩大，海岸地方有大煮盐业出现，而在吴楚越诸地，则有大冶铁业发生，此制盐制铁之业，在先都是非国家的私人经营，所谓“往者豪疆大家，得管山海之利，采铁石鼓铸，煮盐，至一家或聚千余人，大抵尽收放流之人民也”（见《盐铁论》）。然而像此种次于粟米的生活必需品及最重要的劳动工具的生产，终于前汉时代，特别是武帝之世，而强制移归国营。

汉代曾新设“酒榷”（即酒之专卖）乃至卖酒之租，可知当时关于此种被称为“百药之长”的酒的酿造，亦已相当发达。

就货币铸造言，汉代后来既将铸造之业，收归官办，不许民间铸造，而所造之五铢钱，又有极多的数量，可见当时那种造币规模，已大有可观。

绢织物在汉代已形成若干中心地域，山东之临淄，河南之襄邑，皆驰名当世，而蜀产之锦，尤为有名。由是知此种织物的生产，已经发达到了“家内作业”以上，而在大体上成为一类似制造业的协业。

在制纸业方面，中国在汉代已发明制纸术，为世界之先驱。惜此后二千年间，旧态依然，至今犹止于幼稚阶段。

铜器特别是青铜器之起源极古，其技术亦早已非常进步，据《考工记》所载，周代已知六个种类的合金术，那是我们前面已经讲过的。在后汉之初，佛教传来，至南北朝时代，已渐形普及，由是金，银，铜器制造，得到一大促进，迄乎唐宋之世，此类金属制造，益趋发达。当时对于寺院之佛像佛具之需要增加，往往危及币制上之金属的基础；由是，唐宋屡屡压迫寺观寺院，并不时限制其关于铜器，佛像，铜钟的制作。

由唐代迄于宋代，曾铸造了多量的铜钱，从而当代的铜山，亦必有相当的发达。在北宋中叶之顷，每年铸青铜钱数量，计达五百余万贯，南渡以后，则因政治的不安，而不得不激减下来。但铸造铜钱的数量，并不一定与铜山出产的数量，持有何等必然的比例，因为铜之用途，不只于铸钱，而在社会不安局面下，所需用的军器上使用的铜器，到了社会安定下来，又可移作铸钱之用。不过，铜之用途，既广及于军器方面，寺观佛具方面，特别是铸造货币方面，则当时铜山的采掘业，定然有可观的发达。只可惜关于当时矿山的劳动样式及由那种劳动样式所形成的人类的社会关系，我们不能由史籍而得到何等说明。

中国在中世时代最为显著的工业进步，就是水碾或碓的利用，详言之，即是在谷物精制及制粉上之水车的利用。碾硙大体是发明于北魏时代，那时遗下了最良的农书，并且还实施着均田制度。至此水碾硙的构造，乃是在水中浸入一平水的车轮，此水车之毂与其上部之碾硙，以轴联结；下部车轮，由水流激动而回转，而发生动力，谷物的精制或制粉，即系利用此动力，而转动其上部之碾硙。像此种机构的利用，在唐宋时代实有促其非常发达的倾向：因为，第一，以水碾与专依人力或畜力的陆碾比较起来，其劳动生产力极高——据说，如用水碾，则水车一轮，一日可制麦达六十斛。第二，水力工业的利用，为“无偿的自然诸力”之一。由是帝室乃至王公，富商，寺观等，乃相率设置碾硙。例如，在唐代中叶玄宗时，最有势力的高力士就曾设碾五轮于澧水之畔。其一日所制之麦，达三百斛。又如广德二年（西元七六四年），京城北方的白渠中，计设有王公寺观之碾硙七十余所。然而在东洋社会的专制国家的场面下，水力工业的发达，究是不能不受到阻止的。东洋专制国家的主要收入，系得之于田租，从而，东洋就不得采用那种可以造出工业者的人为的手段，即不得采用工业保护主义。反之，却不能不采用农业保护主义（这种主义的采取，并非为了农民的利益，而是为了田租的确保与增进）。换言之，水车工业的利用，在妨害灌溉，从而影响国家收入的限内，其发达是不能不由农业保护的立场，受到防阻的。所以，欧洲在制造业时代中，演着莫大角色的工业上的机械水车，而在中国，则被专制国家阻止其自由发达；并且常依为害水田的理由，而遭受破坏。

再就盐业来说吧，中国之盐，除海盐而外，早就有池盐及井盐存在。例如蜀之井盐，远在秦代，已见其端绪。降及中世唐宋时代，此三种——海盐，池盐，井盐——制盐业皆非常盛行，唐代有池盐十八处，井盐六百四十处。制盐业直接隶属于国家。凡盐之产地，置有监院。游民以盐为业者，谓之亭户；为使其专门从事制盐，免其徭役。在某一时期内，盐之贩卖，全为官营，不久以后，鬻盐之务，例由商人担当。迄乎唐之中叶，国家由制盐所得的盐利收入，年达“六百余万缗，天下之赋，盐利居半；宫闱之服御军饷，百官之禄俸，皆仰给之”。我们由此大可想见当时制盐业的规模，不过，国家盐利收入的增加，并不完全是由于生产增加，同时还由于独占所生的暴利。

茶之制造，在中世亦是异常盛行的。中国茶的起源，当远溯于汉魏之顷，特当时只以蜀为著称。至唐宋时代，茶之栽培与制造，已经盛行于中国中部及南部。宋代对茶已树立专卖。当时制茶之业，也许有一部分已发达到了类似制造业的协业程度。降及清代，茶已为输出的大宗。

随着唐宋时代饮茶的流行与茶器的需要，窑器或磁业亦受到不少的促进。在许多地方已形成了磁业生产的中心。在唐宋对阿拉伯人的输出贸易中，磁器与绢，同为重要的输出品。

中世中国对外的海上交通，我们在前篇已经述及梗概了。中国当时有大船往来南洋及印度洋，造船业当然相当发达。据说，中国所发明的罗盘针，在第十三世纪之初，已经十字军由阿拉伯传入欧洲，而在这时以前，则由中国传入阿拉伯。中国在西元第三四世纪的晋代，已知道在航海上利用磁石。宋代航海船舶上的驾驶员，有的竟超过千人；其船舶之大，可以使我们想像到当时制船业规模之大。

在第十三世纪末叶，即在元代初年，被视为“远东方面之欧洲商业资本的最初之燕”的威尼斯人马哥孛罗（Marco Polo），飞降于世祖忽必烈的朝廷了。据他的《中国游记》中所载，当时杭州地方已经存在有十二个手工业者的同职组合，这种组合统制着各别拥有十二人，二十人，乃至四十人的手工业者的工作场一万二千个。——不过马哥孛罗的记载，乃至他们所引用的官厅记录，一般都是认为有些夸张的。又据说，在第十三世纪时，杭州的手工工厂，已环绕着卫城星罗棋布，在这些工厂中，有各种——如制衣，制造各种器具，制造武器——手工业者，从事业作。其间有工匠一千六百人，各个工匠都役使着三四个徒弟。工匠从属于官，而其多数的徒弟，则不外一些官奴。

与商人基尔特相提并论的手工业者基尔特，在欧洲大体是发端于第十四世纪。而在中国（照前面所述及的），则此手工业者同职组合，在第十三世纪已显然存在。在另一方面，中国在中世时代呼为“行”，以后至清代变形而称为会馆公所的商人基尔特，其起源且当远溯于唐代。然而基尔特在欧洲尽管到后来可以获取市民的独立，并成为一种政治的权力的组织，而在中国则大不相同，中国基尔特纵令有广泛的组织，有其固有的统制力，在经济上在社会上都有莫大的势力，但终不能获得政治的法律的特权。往往有人对中国基尔特的政治势力，作过大的评价，并以此与欧洲基尔特的政治势力相提并论，其实中国的基尔特，宁可说是以其政治势力上的脆弱性为特色。中国基尔特不能获得市民的独立，那无疑是由于中国专制主义的作祟，专制国家最怕市民的政治的独立，将威胁其自身所由存立的广大灌溉农业的神经中枢。然而中国手工业者基尔特之政治的脆弱性，那是使中国早期资本主义萌芽归于萎化的重要原因之一。

在中世末期的明代，中国工业曾因对外贸易的顿挫而蒙受到莫大的打击。当时的对外贸易，在陆上，因蒙古大帝国的瓦解，阻绝了前此已经发达起来的东西陆上贸易的通路，同时在海上，则又因倭寇猖獗，致朝廷不得不禁止国人的海外航行。海陆两方面的对外贸易阻滞，向来制作输出品的工业，自不免萎缩下来。然至明之中叶，即第十六世纪末期，欧洲人代阿拉伯人出现于中国南方了。由是，一度衰落下去的绢织物及磁石一类的贸易输出品，复又呈现活跃。绢织物在明清之际，已在中国南部的江苏与浙江，形成了中心地区。不过，从生产方法上说来，除了若干官营的作业场而外，绢织业在本质上只算是家内工业（Hausindustrie）。

至于窑器，特别是磁器的制造，在江西景德镇已形成一大中心，且显示了崭然的发达。据一位牧师所传，在明之末叶一六二五年，景德镇有百万人口，大商人役使着可惊的多数的劳动力。此后不久，制磁的原料即高岭土，曾选有几样，送往法兰西。由是，原料土即照汉音呼为 Kao-lin，欧洲终于模仿中国的磁器，而发生磁器制造业。此种传说的真实性如何，姑且不管，但景德镇在十九世纪初头，确已号称有百万以上的人口。此后因欧洲，特别是德法诸国模仿中国磁器而发生磁器制造业，因日本亦盛行磁器制造，更因中国自身市场，至清代末叶而不绝狭隘化，于是景德镇的磁器业，乃不能不渐趋衰微。然而景德镇磁业直接遭受的严重打击，还是太平天国军队的陷落景德镇，当时最称优秀的宫廷炉，亦在这次兵乱中破毁了。不过，景德镇磁业虽然遭受种种方面的打击，在前世纪之末，还存有一百二十座锻烧炉，和总数十六万的劳动者。自然，中国的磁器制造，并不限于景德镇，此外还有其他的制造磁器的中心地域，不过，就规模讲，景德镇算首屈一指了。

最后，关于矿业，特别是金属矿业，中国南方的云南，自元明以来，已渐盛行采掘，特别是关于银锡的采掘。因为中国旧来银的产量非常之少；就因此故，在第十九世纪终末以前，中国还不曾从事银币的铸造，至云南之锡的采掘，那是因为那在前世纪曾唤起英法资本的猛烈的竞争。

第二节　旧来中国工业的诸基本型

自第十八世纪以来，中国即已为英国人大量输入的鸦片所麻醉；接着，中国的障壁，又为英国的大炮，轰开了许多大洞，自是棉制品乃至其他各种机械制品，乃更汹涌的泛滥于中国市场。至前世纪末叶，外国资本侵入了，由是中国乃不能不迫而采用近代工厂制的机械产业。

当中国采行近代工厂制的产业的时候，旧来立脚于非机械的技术基础上的种种色色的制作工业，当然要感受致命的打击，由是在全般工业生活上，引起一大混乱。

临近解体期的旧来中国的工业生活，可以就三方面来考察：一是生产形态，一是经营规模，一是技术基础，兹依次先就生产形态方面来说。

中国工业的主要的生产形态，当为家内工业，但随着社会全般经济的演变，此家内工业亦呈现了种种不同的姿态。最初，家内工业是以自家消费为目的；自家生产的，或由自家生产的生产物，与他人换得原料，再施以制作的“家内作业”，皆属于家内工业，不过是极原始的罢了，最原始的家内作业，“为自然经济之一必然的从属物，其残存物之存于小农民层者，殆常受到支持”，就因此故，当近代机械产业强使旧来工业归于解体的过程中，农民经济方面，亦殆不免要发生出抵抗的阻力，然而从工业生活的形态来讲，那究不过是前期的，副次的。事实上，在为自家消费而制作的“家内作业”之上，还有为卖给别人的生产物的制作，或商品的制作，自这种性质的制作开始，于是狭义的“家内工业”成立。在此狭义的“家内工业”中，有为副业者，有为本业者，还有为专业者。有的能直接对市场保持通路，而维持独立；有的全为从属性质，还有的则是地位恶劣化，至成为所谓近代家内工业。在欧洲资本到来以前，中国的家内工业，是以中世的家内工业为其主要形态；此后则激急的从属于商人，从属于制造业，终至从属于工厂制的机械产业，而转化为地位最称恶劣的近世的家内工业。

以次，我们要就经营规模来考察，中国旧来工业的经营规模，要不外手工业的小经营，设就手工业占有主体劳动活动的全部，或仅占其一部的标准来区分，则综合前面所说的，约有四种样式，即：

（一）为自家消费而从事家内作业者；

（二）即为贩卖经营，仍系副业者；

（三）已当作本业活动者；

（四）完全视为专业者。

在中国旧来的工业生活上，虽然大体不出以上种种形态，但手工业一变为专业，而与其他劳动活动分离而独立，于是就成为一种纯然的手工业；到了这种场合，其经营的规模，乃不能不成为问题。从经营的规模讲，旧来中国的工业，当然是以小生产规模立于支配的地位。

特工业上的小生产规模自体，又可因其是否保有生产手段，特别是是否保有制作所需的原料，而得区分为独立的手工业与多少非独立的“工资作业”。此“工资作业”，诚然与独立的手工业一同结附于农业劳动，而显示出种种比重，但其自体更因其是否自备有设备经营，而有以次的区别；即其自身如备有设备经营，对顾客送来的原料，予以制作，则称为“自宅工资作业”；

若自身未备有设备经营，须到顾客那里去制作，从而只能领得相当于劳动工资的报酬，则称为“出外工资作业”。例如，中国由中世逐渐发达的碾硙属于前者，而修补劳动则大体属于后者。在旧来中国种种色色的制作产业上，此种手工业的小经营，与家内工业同样扮演了极重要的角色。由是我们知道，中国手工业的重要特质，第一，可以说是对生产力的主体要素，即人类劳动力的异常利用，——其自身可视为中国农业之集约的园耕劳动之手工业的反映，且不外是历史上代代蓄积相续的结果。第二，即外出作业手工业的非常普及。在欧洲，手工业者基尔特阻止同业中人往顾客家中工作。因而购买者或预定者，就不能不到他们住所来。而在中国不然，中国旧来的专制国家，是赖田租收入维持其生存，故视工商为末利末业，而予以压抑，由是手工业者乃不得不追求顾客。第三，中国的手工业者基尔特，是以政治的脆弱性为其特色，这是我们在前面已经讲过了的；事实上，这第三种特质，正与前述们二种特质紧相关联。

最后，我们对中国的工业生活，可从技术的基础的方面来考察。就技术的基础而论，那依然还是手工业的。

特随生产规模的扩张，却不难看出类似制造业的古典的协业姿态。中国的工业生产，在若干门部上，极早就显现了制造业的形影。不过，旧来终未超出这个阶段以上。

我们在考察中国制造业内部基于分业的协业关系及其状态以前，顶好是一般的说明制造业的形成及其历史的特性。

原来制造业的发生样式，或者，制造业由手工业形成的方法，有两种途径：在一方面，那是由各种各样的相独立的手工业的联合（combination）出发，——在此种情形下，这些手工业，在同一商品生产过程上，只不过形成相互补充的诸部分作业以前，已是极度的非独立化乃至一面化。在另一方面，制造业是由同一种类的诸手工业者的协业（cooperation）出发。——在此种情形下，同一的个别的手工业，在被分解为种种特殊作业，乃至此种种特殊作业，由孤立化，而各各成为特殊劳动者的专属机能以前，乃是极度的独立化。“所以，制造业一方面是在生产行程上，导入分业，或使其更加发展；他方面则是把从来分离的诸手工业，加以组合。”不过，特殊的发出点不论如何，其归结的姿容，终为一样。从技术的基础来说，制造业依然不外手工业，从而其作业依然要依存于各个劳动者在使用工具上的力量，巧拙，迟速乃至确实等等。特工业的劳动的生产力，却会由手工业到制造业的发展，而大大增进，这原因，就是因为劳动力的结合，造出了新的生产力因素。“凡终生从事同一单纯作业的劳动者，其全身化为这种作业的自动的一面的器官，所以与那相互从事诸作业之全系列的手工业者比较起来，他对于作业所费时间较少。然而在形成制造业那种有机机构而结合起来的总合劳动者，他们显系成于这样的一面的部分劳动者，由是，他们与独立手工业者比较起来，就能以较少的时间，制作出较多的生产物，换言之，就是劳动力的增进。”

劳动的生产力的增进，直截了当的说，就是富，就是使用价值的生产的增进。但是，制造业劳动者，因为机能的单纯化，以致全然无需修业上的费用（不熟练的劳动者），或者所需较独立手工业者为少（熟练劳动者），结局，劳动力的价值失坠；反言之，就是对于资本的相对剩余价值的增进。所谓：“劳动力由修业上之费用的消灭或减少而引起的相对价值的失坠，直接含有资本价值增殖的意味。因为缩短劳动力再生产的必要时间的一切，即无异扩大剩余劳动的范围”。

在社会生产过程之特殊资本制形态的限内，制造业的分业，不外一种牺牲劳动者，以增进相对的剩余价值的特殊方法，那在一方面虽然表示是社会之经济的形成过程上之历史的必然的发展因素，同时则表示是文明化的醇化的一种榨取的手段。

以上是手工业与制造业的差异之点，亦是由手工业过渡到制造业的大体趋势，中国手工业在欧洲资本的侵压下，当然不能不渐形解体；然而我们在重视这种“外铄”的作用当中，同时亦还值得注意中国工业之内发的进展的倾向。这就是说，中国过去依旧还有或种制造业或类似制造业的协业存在。

第三节　旧来中国工业上的制造业的实例——制盐业

当欧洲资本在前世纪后期侵入中国，并促使中国推行他们自己的生产样式的时候，中国自身在若干工业部门上，实已有相当发达的制造业存在。这种制造业，或这种工厂制的手工业的实例之一，我们顶好举出制盐业。因为，前面讲过，制盐与冶铁，自古代以来，即为中国最重要的工业部门。

中国所制的盐，一向即因出产的来源，而区分为海盐，池盐及井盐。就其始源及产额而言，海盐最早且最为重要，我们前面讲过，在老早老早以前，中国在工业方面，即已有类似制造业的大经营存在，不过，在海盐的制造上，制法极其简单，从而其支配的生产型，恐怕不外手工业的小经营。

池盐的制造，亦是由来已久的。在中国西北部及蒙古地方，有多量的盐池存在。就中，在山西南部解州的解池，尤为著名。由那里出产的池盐，不仅供中国北部西部的需要，中国中部许多偏僻地方，亦是取给于此。解池方面的制盐，恐怕在中世时代，已经在大规模的经营着。不过，其制法亦极简单，只要用桶把盐水运到盐田就行，在前世纪七十年代，德国地质兼地理学者里赫托荷逢氏认定解池畔的土地，约为一百五十个协同组合所占有；这些协同组合各各依协作的方式，从事业作，其中并还雇佣有工资劳动者。

中国制盐方面最称发达的大经营，不，恐怕旧来中国一般工业上的最大经营，要算岩盐的采掘，在海盐及池盐的制造上，只不过有单纯的协业，而在岩盐的采掘制作上，则确有制造业的大经营存在。岩盐的产地，主要在四川及云南，就中尤以四川岩盐的藏有量最大，采掘最久，而且最为发达。四川岩盐的采掘，当远溯于秦代。其采掘法系穿凿盐井，到达贮盐底层，然后再汲取其中涌出的盐水，予以煎制。

中国盐井之中，以四川的自流井为最出名。根据比较新的数字（一九一三年），自流井及附近的盐井，有一千五百八十处在从事作业活动，这种盛况，堪与美国的油田相仿佛。百数十尺的凿井塔，相并而立；某种盐井由极好的土法所掘凿，其深度至达到两三千英尺。——就在前世纪七十年代，前述德国那位地质、地理学者，已经认定要达到浓厚的盐水的所在，非下掘到六百乃至八百米突不行；就是通常达到较稀薄的盐水层，亦非下掘到二三百米突不行。至盐井的掘凿工作，通常是由一队劳动者进行。其所需时间，三年，六年乃至十年不等，最高纪录，竟有需七十年之久者。从而，一井的掘凿费用，就说不定要耗费数十万两。单从这初步的预备工作或固定投资看来，手工业的小经营，早已进行不得。况盐水由汲扬起来以至精制为止，其间所需的诸般设备及经营的费用，更非二三十万两不行呢！据德国那位地质、地理学者所说，一井的作业活动，通常需要四五个劳动者和大约同数的畜力——就中，尤多用水牛。在这种作业活动中，行着以次的分业或分工，即有驱使役畜者，有照顾着盐水汲取器的运动者。盐水汲取出来之后，即须安排煎制。煎盐特为设有小房屋，其中置有煎制之锅七十口乃至百口以上，在此大约非为十数人以上的劳动者不行。对于盐水的煮沸与精制，多用天然煤气——岩盐埋藏地，多富有天然煤气，此种井户，通呼为“火井”——燃料不足，则以石炭补充。

经过上述这种生产过程，岩盐乃精制成功。就当时社会的全般生产关系看来，在这全般生产过程上的诸生产手段——如盐井，火井，盐水汲取设备，盐水由井导往煮盐室之樋的设备，以及煮盐锅等等——的诸所有者，一定能由此获得颇大的利润。

第三章　官僚主义封建制的解体过程

第一节　序说

就地理上讲，中国在清代支配下的领土，实达到了空前的扩张。其人口则占有全球人口四分之一。特在中国历史上，向来是为战争，内乱，水旱灾，饥馑乃至外族的侵入，而近似周期的破坏其社会生产诸力，并且也几乎是三反四覆的使那种近似同一的生产诸关系，再生产出来；换言之，也就是中国社会的历史的辩证法，与其说是以那种在较高阶段上归于废弃的或推陈出新的因素为特色，却毋宁说是以那种被保存下来的或反复重现的因素为特色。这就是说，中国社会常能多分保存旧来的社会诸关系。

就因此故，中国社会在清朝时代，乃因前述的历史的并地理的诸条件，包括了一切文化阶段，且显现着极端多样的社会诸关系。比如，在土地财产上，还能见到原初的氏族的所有形态及村落共同体所有形态。奴婢还多量保存着。就在社会统制组织上，血族的统制，及村落的共同体，亦还在施行着莫大的作用。特别是父家长制，那就在今日，仍不难看出其古典的严格性。

不过，中国社会之中世的结构，虽然持着这种多样性，但却显示了本质的差别。即那种中世社会结构，大体是以纯粹王有地（这被附有种种的名称），和官有色彩颇强的（即耕作者的全剩余生产，官得任意横征暴敛之意）小农民土地所有以及庄园的大土地所有，为其物质的基础，而建树的官僚主义与封建主义的苟合关系。前面所说的太古的乃至古代的社会结构的诸遗制，那不过是中世社会在强化其物质基础的限内，乃予以保存利用罢了。

所以，中国除了若干边疆地域而外，氏族的土地所有，在量的方面固然极其有限，在质的方面，亦复大大改变其原始的形态。而在中国北部地方，则几乎完全绝迹。因为经历不断的战乱，那种原始的土地形态，已经破坏无余了。在江南方面，特别是在广东福建等地，则还多量的残存着。据说，广东就在现世纪，其氏族所有地，还占全体耕地面积百分之三十乃至四十。然而所有这些由古代残留下来的遗制，通通改变了原始的形态。因为在原始的氏族间，土地的共同体所有，乃与其共同的利用，共同的享有其利用的成果等等关系相一致，而中国除边疆地域外，土地在所有的关系上，虽或保持着共有的遗制，但却不是共同利用，更谈不到共同平等的享有其利用的成果。换言之，就是广东等地方的氏族共同体所有地，大都是租贷于氏族内的人员或氏族以外的耕作者，个别的从事耕种。由是，在这场合的氏族共同体所有性质，乃从土地收入的氏族共有中体现出来。就因此故，马扎尔（Madjar）曾把土地本身的氏族共同，与土地收入的氏族共有加以区别，并认定中国的氏族共有财产，是属于后者。然而这是一种舍本逐末的大误解，因为土地收入的共有，原不过土地财产本身共有之经济的机能。无论如何，在临着解体期的中国的氏族的土地所有——边疆又当别论——就在上述的非氏族共同利用的条件下，既已由原始的形态转化过来了。中国氏族制度自体，虽然有不少成分被保存于宗法组织之下，但那已由原始的氏族制度转化过来，在宗法制度下再组织过，从而已经完全失去了原始的本质的职能与意义。并且，在解体期中，中国的村落共同体所有，亦只演着副次的补充的作用。而村落共有地的名色，不过是依着共同牧场，泥场（泥土采取地）及柴场等等残遗下来。事实上，村落共同体自身，早同中国古代的井田制，由原始的形态转化过来，经过几度的再组织，而常成为官僚主义的封建制的基础。要之，村落组织的意义，在第一次的再组织后，即已发生变化。至于父家长制，一般是出现于由野蛮移向文明的过渡期中。然在中国，却颇悠久的保持着那种制度的古典的严格性，因为中国专制的国家机构，颇用得着这种制度为其道德的支柱。皇帝为全体国民的家长，而官吏则被视为其管辖区域内的家长。最后，关于奴隶，在解体期中亦是不难见到的。但大体都是家内奴隶。

总之，原初的乃至古代的社会结构的诸遗制，在解体期的旧中国社会中，虽仍可以发现许多，但我们所能发现的那许多，都不外对中国社会之中世的基本结构，即官僚主义的封建制的诸支柱或其基础，营着补充的作用。

就严格的意义讲，中国社会就在清代，依然未达到成熟的封建的领域，但官僚主义的封建制，却不能不说是由此完成了。在一定的世界史的环境下，中国在康熙乾隆时代，已经达到了绝对主义支配的顶点。从而，中国社会之中世的结构，乃以第十八世纪末叶为转机，而转入了决定的解体化的道程。我们现在将进而探究此种过程，特别是促使旧来中国社会解体化的一列决定的因素的综合，大体可分作两个方面，一是欧洲的资本，及伴随此资本而来的重炮，又其一则是中国社会自身胎内育成的诸矛盾的发展。但就其作用讲，这两者当然是相互关联着，并相互发生作用。

第二节　欧洲资本的到来

中国是赋有丰富的天然资源的。以人口而论，尽管在历史上反复由游牧种族的侵入，由内乱，水旱灾乃至饥馑的不断破坏，但政治一趋安定，往往又不断予以新的补充。清代因上半期的一个半世纪的政治的安定，人口显著增加，至前世纪之初，竟达到四亿的纪录，而占全世界人口的四分之一。在自然的富源上，中国不仅富有多种多样的矿物资源，其农业方面，亦因自然环境的特惠，和土地的自然丰度的肥沃，而有多种多样的农作物。此外，中国人的劳动力，又颇能发挥耐苦忍劳的卓越的属性。总之，从自然的诸条件看来，中国恰是资本用武之地的大好地盘。

可是，从自然富源开发的水准言，旧来的中国，又是广大地域上之农业畜牧的发达，和矿业工业的异常不发达为特色。并且，在交通上虽有水运之便，所有的交通机关，依然未脱旧态，在本世纪以前，几乎还不知道有铁路这一回事。

由是，中国乃予近代欧洲资本以绝好的染指的机会。诚如荷布孙（Hobson）所说："……以具有异常勤勉的劳动能力，与多分的聪明与效能，而又惯于过着低标准的物质生活的四亿左右的人口，占有着一个有丰富矿物而未开发，而其制造工业或近代的交通机关又感缺如的国度，遂不期而展开了有利榨取的眩惑的野望。"（《帝国主义论》）——荷布孙氏这种议论，就在今日，亦还是非常妥当的。

欧洲资本的食指，正式叩击着中国封锁的门户，并开始促使中国社会蹈入解体化的过程，那大体是在十九世纪的初头。英国的鸦片密输与其无情的大炮的轰击，那可说是欧洲资本伸展到中国社会的开路先锋。

自然，在这以前好久好久，欧洲商业资本已经光临过中国。远在西元前之秦汉时代，中国就已经与西洋发生过商业的关系。但我们现在打算把远久以前的中国与西洋的商业交通史暂且搁置不提。在第十三世纪末，即元代初期，威尼斯人马哥孛罗会以欧洲商业资本之最初之燕的资格，飞降于世祖忽必烈的王庭，这是前面已经讲过的。自是半世纪间，中国与欧洲的交通开辟，不过主要是限于陆路方面罢了。迨蒙古大帝国崩溃，又益以中央亚细亚之回教徒的兴起，东洋与西洋之间，乃发生阻碍，至第十四世纪中叶以降，东西交通顿衰，当时由汉族所建的明代王朝，又因倭寇骚扰，禁止国人航行海外，同时对于外国人之东来者，亦不表示欢迎，由是在此后将近两世纪间，东西交通乃陷于极度衰沉状态。

然而就在十六世纪初头，世界史上已展开了一种新局面，所谓近代社会，就是以这种新局面为其历史的界标。在一四九二年，哥仑布发现了美洲。戈白尼天文学的出现，系在一五〇〇年；自然科学发达了。由逐次航海家探险家的探险旅行，全世界渐渐发现，由是地理学发达。世界各地都设置有殖民地，世界交通成立。由十六世纪初至十八世纪末，其间将历三世纪，欧洲在这个时期完全是由重商主义所支配，故一般称之为重商主义时代。重商主义是以向海外发现新领土，发现新的商业通路为一特色，由是东洋的天地，渐成为欧洲人活动的目的地。

欧洲新时代的开始，恰当着中国明代的后期。最初航海东来的，是葡萄牙人。他们于一五一七年到达广东，以后依种种的经纬，乃以澳门为根据地从事贸易。此后约半世纪间，即在一五七五年，西班牙两位传教师东来了，然而他们毫无所得的被追回欧洲去了。一六〇四年，荷兰商人到来——因为在这以前两年，荷兰东印度公司已经设立了。但他们的通商要求遭受拒绝。此后荷兰的使者，虽常常来到北京，然因遭受葡萄牙的反对，终未取得通商上的特权。在一六三五年，英国曾通过其在一六〇〇年设立的东印度公司，企图与中国通商，但因受澳门葡萄牙人的反对，终于失败。后二年即一六三七年，英国船三艘驶来澳门附近。他们企图在广州入港，虽遭受炮击，终于入港了，并还在广州卸去其积载的货物，而装载砂糖及香料以归。一六七〇年，英国取得了在厦门的通商权。——同时台湾亦为英国开放，但不甚重要，至一六八三年，且不许英国与台湾通商。一八八五年（清康熙二十四年）清廷曾敕诏允许一切港口，皆得与外国通商。英国且依东印度公司在广东获得有设立商馆的利权。由此可知十七世纪中的欧洲商业资本在中国的历史上，具有以次的特色，就是，在先是由最初获得有通商特权的葡萄牙人，与后来的荷兰人及英国人从事激烈的斗争，以后则是由英国人予葡萄牙人在中国的独占贸易以打击。

叙述到这里，我们是应当注意到中国当时与欧洲人在陆路交通上的商业情形的。与中国壤地相接的俄罗斯，早就与中国有着政治上及商业上的交涉。最初的俄国使者，是于一五六七年到达北京的。但因这位使者没有携带贡物，皇帝（明之穆宗）不许朝谒。此后第二次

（一六一九年，明万历时）第三次（一六五三年，清世祖顺治十年）的使节，均未蒙皇帝赐谒，其原因仍是未携带贡品，且未应许叩头礼的要求。但不久，俄国的队商，即于一六五八年开始出现的北京。此后，此种队商又曾于一六七二年一六七七年（均在康熙时）相次到达北京。不过，沙皇第二次使节出现于北京，系在一六八九年（康熙二十八年）。在此以前，即在同世纪的中叶，俄国军队曾到阿穆尔河（黑龙江）开设屯田。一六八〇年，中俄国境战争开始。其结果，乃缔结《尼布楚条约》，设定两国国境。依据此国境条约，俄国军队退往阿穆尔河彼岸，并成立关于国境贸易的设定。——这算是中国与近代欧洲国家的最初战争，和最初的条约。此后，俄国使节每数年来北京一次，且还因其应许叩头礼的要求，皆得蒙受皇帝的赐谒。一七二七年，沙皇与清室之间，又缔结《恰克图条约》。由此条约，两国相互设定同地方的国境，并成立关于国境贸易的协定。该条约第五条并载明俄国得在北京设立公使馆。一七三三年，雍正帝的使节，亦被派往沙皇的朝廷——此后直到同治时代（西元一八六一年——一八七四年）的百余年间，这还是由清廷派往外国朝廷的唯一使节。特在十八世纪乃至十九世纪初头，俄国对中国的商业活动，仍无大的进展。俄国的队商，止于到达北京。在恰克图所设的互市，亦专限于当地的两国间的贸易。在此种贸易上，严禁用银及其他货币交易。俄国输来中国者为呢绒及皮革类，而中国用以交换者，则为茶，丝织物，绵织物等。一八○六年，有俄国船两艘到广东，但北京政府不许俄人在中国海上从事贸易；其理由为俄国既获有国境贸易的特权，即不能兼享有海上贸易的特权。由是俄国船乃不能不由广东的香港退去。

现在，我们再回头来考察海上的贸易与交通的关系。自一六六○年以来，法国即长期的派遣商船东来广东。但法国得在广东设立商馆，那却是迟至以后一七二八年间的事。至其与中国所进行的贸易，在第十八世纪中，仍只限于小的规模。法国开始在中国设立领事馆，则是在一八○二年。美国在先与中国从事茶的买卖，系通过英国东印度公司进行，至一七八三年，因已确实取得独立资格，乃于翌年自行派船至广东，参加远东贸易。此后因继续活动，其贸易规模，竟在广东商业界占着次等的地位。在第十八世纪中，其他欧洲人，如瑞典，丹麦，普鲁士等等国人，曾先后新到广东，但彼等的贸易，无关重要；当时在贸易界占最高地位，并演着最重要角色的，仍为英国。

在此，我们须得考察中国对于外国资本的态度。清室最初对于外国资本，亦未必怀着何等的敌意。清代曾以诏敕宣言一切港口对于外国贸易开放，那是我们前面已经讲过的。然而重商主义时代的欧洲商业资本的掠夺政策，不久即使清廷改变态度；据说，当时外国人不纳贡品，不行叩头之礼，也算是清廷对外国资本采行闭关主义的理由。但无论如何，自十七世纪终结以来，中国的外国贸易，事实上主要是限定于广东，因为在其他如厦门及宁波诸港，则均被课有高压的关税。而且就在广东一港，清廷对于外国贸易，亦施行了种种限制，在一七二〇年（康熙五十九年）北京政府曾使广东商人组织一种称为公行（Co-Hong）的基尔特，而对外贸易，则以大体由十三个特许商人所组织的所谓行商（Hong-merchants）所独占，即当地一切对外贸易，皆须由此等行商进行。不但此也，清朝对于外国贸易的压抑，实年有增加。例如，在一七二八年，对于所有卖给外国人的货物，皆课以从价税百分之十；一七五七年，终至以敕令宣告广东为中国对外的唯一贸易港，换言之，就是广东以外的一切港口，皆不为外国贸易开放。

然而这诸般的限制，到底不是欧洲资本，特别是英国系资本所能忍受的。况且，就在这个时候，欧洲正进行所谓产业革命，经验着生产技术的大改革。换言之，即机械采用，经营扩张，生产增进，对于国外市场扩张的要求，异常昂扬炽烈。同时在政治上，对于封建制乃至绝对主义专制主义，痛加攻击，由是而企图贯彻市民的自由与平等。一七七六年，美国宣言独立；一七八九年，法国发生了动摇封建社会的空前大革命，发布了《人权宣言》。在意识形态上，市民的自由与平等，已成为当时的有力口号；特别是在经济理论上，所谓资产阶级的经济学，亦于这时前后诞生（按：奠定近代经济学之理论基础的亚丹斯密（Adam Smith）的《国富论》（*The Wealth of Nations*），即在美国宣言独立的一七七六年出版）要之，在产业革命市民革命进展的过程中，重商主义已让道于自由放任主义，欧美诸国经验着这样深刻的社会的经济的变革，那当然与东洋社会不能毫无关系。

反之，这种变革的结果，却对东洋社会，特别是对于中国招致了强制通商或强制开放市场的重大压力。

特在欧美诸国正进行着上述的变革的当时，中国的门户，依旧在绝对主义政府之下，紧紧的封锁（虽然在广东算是网开一面了）。在乾隆时候的一七九三年，英国更为获取特权，而派遣特使往访北京。当特使的一行人马抵达北京时，北京政府尚待以宾客之礼，但这有所为而来的不速之客，终不免受其严重的注意与监视，结局，这位特使除了受到殷勤的招待以外，实毫无所得的懊然而返了。本来，他到北京是带有两个使命：其一是请求缓和对于广东贸易的高压与苛税，另其一则是要求确保广东以外如天津宁波等地的通商的自由，但前一要求，直到以后经过大炮的轰炸，始行达到，后者亦遭北京政府顽强的拒绝。不过，英国对于这次的失败，毫不灰心，一八一六年（即嘉庆二十一年）又派遣第二次使节往访北京：这次使节的目的，在除去显著的过分的高压政策，企图把东印度公司的中国贸易，置于安全基础之上，换言之，就是使那种贸易免去地方官厅的压迫，而完全置于皇帝的保护之下。这次使节到达北京时，北京的王公百官，都出来迎接，然而所得到的结果，是命其马上返还本国。这位使节又懊然返到广东；当时的问题，已显然表示非迫而诉诸武力，实无其他方法可以解决。

英国资本对于中国的侵略欲，到了十九世纪，越来越猛烈了。本来英国在中国方面的贸易，是专由东印度公司经营，但东印度公司这种独占权利，至一八三四年（即道光十四年）已因英国资产阶级的要求，而归于废止。就在东印度公司独占权废止的当年，英国拉比亚爵士以通商代表的资格，到来广东，但中国两广总督不认彼为通商代表，拒绝交涉，并命令停止对英的贸易。此后不久，拉比亚爵士客死于澳门。中国与英国的贸易，再经由“公行”进行。一八三六年，英国复又派遣使节东来，但依然毫无所得。就在这期间，鸦片问题重大化，且由是导来鸦片战争；顽固秘封的中华帝国的门户，终于在这次战争以后，渐被强制的开启了。

第三节　鸦片战争（一八四〇——一八四二年）

对于旧来的中国社会，鸦片算是发挥了最可怕的破坏力的商品。

生产鸦片的罂粟，中国在唐时代已经知道，但中国人知道制造鸦片，却是在明之中叶（约在一四八八年顷），据说，他们对于那种制法，是通过回教徒由阿拉伯学来的。在先鸦片是用以和制药品或充药品之用。然自西班牙人以烟草输往斐律宾，更由斐律宾于一六二〇年顷输入福建，于是，在此后不久，乃有以鸦片与烟草混用者，但在一八〇〇年以前，纵令有人吸饮鸦片，其数量似乎不多；西元一七二九年，清雍正帝曾发布最初的鸦片吸食禁止令。

最初以外国鸦片输入中国的，是葡萄牙人。在上述雍正帝发布禁令的一七二九年，其输入额还不到二百箱。由是至一七七三年以前，对中国的鸦片输入，全系葡萄牙人一手包办。然至一七七三年，英国商人乃开始以加尔各达的鸦片，输入广东。在十数年间，此种输入业，系由私人贸易商进行，至一七八〇年，始归英国东印度公司独占。一七九六年，在广东输入的鸦片，计达一〇七〇箱。一八〇〇年（即嘉庆五年）仁宗曾发布敕令，禁止外国鸦片的输入，及国内罂粟的栽种。然在实际，禁令尽管颁发，而鸦片吸食者则日益加盛。外国鸦片的输入，虽然已由禁令剥夺其合法性，而秘密输入则有增无已。而当时从事此秘密输入活动最力者，当为英国东印度公司。

第十八世纪以来，英国由中国输入的茶及生丝，渐次增多，由是英本国及印度的银，乃不能不有多量的向中国流出。在此种情形下，英国遂把印度的鸦片输入中国。英国东印度公司对于中国的输出，鸦片占有一大部分。在一八一一年至一八二一年的十年中，每年平均输入中国的鸦片，已达四四九四箱以上；在一八二一年至一八二八年的数年中，每年平均输入额，更增大至九七〇八箱。但在贸易的收入上，依然于中国有利。换言之，就是印度，英国乃至美国的银，仍要不断流入中国。可是自道光七八年（即西元一八二七——八年顷）以降，中国对外贸易的收支，渐呈逆转之势，即中国之银，至是乃开始向海外流出。一八三三年，清廷见此不利的形势，至不得不下令止禁银两的输出。然而正当这个时期，英国所密输入的鸦片，又激剧增加，由一八二八年至一八三五年间每年输入的数字，竟达一八七一二箱；此后由一八三五年至一八三九年，每年平均更激增至三万箱。在英国方面以为这是因为中国人吸饮鸦片，它才输入；而在中国政府方面，则以为这是因为鸦片输入，中国人才吃。结局，北京政府乃于一八三九年派钦差大臣林则徐往广东，厉行取缔鸦片密输。林则徐到达广东后，即要求外国商人提出所有的鸦片。英商所有鸦片达二万二百九十一箱，全遭没收，并予焚毁。由是，在一八四〇年（道光二十年），清与英国之间，乃发生所谓鸦片战争。此次战争曾继续三年，至一八四二年，两国间乃开始缔结《南京条约》。

英国由此次战争，从而，由这次最初的条约，终于达到了它屡次要求不遂的宿愿。即根据此次条约，第一，广东，厦门，福州，宁波及上海五港，皆变为条约港，对外国贸易开放；第二，旧来由“公行”揽占外国贸易的独占权，予以废止；第三，对一切条约港，只能课加均一而公正的关税（除茶税为十分课一外，其余输出输入品，皆课从价税百分之五）。此外，英国还要求北京政府割让香港，要求偿金二千数百万美金，以为焚毁的鸦片的赔偿。并且，清廷还得承认英国在各条约港有设置领事的自由。最后，英国人自是对中国人取得了对等的地位。

次年，即一八四四年，美国及法国亦与清廷缔结条约。

显明的，鸦片输入的直接经济上的结果，就是银的大量流出，而其在政治上的影响，则是导来了决定中国历史运命的战争。然而鸦片对于中国旧社会所招致的结果，还不只此。与鸦片密输相关联的贿赂的行使，在道德上，主要使南部官吏完全堕落。父家长制是中国旧社会的道德的支柱，那是我们在前面已经讲过的。皇帝被尊为全国的家长，皇帝的官吏，亦被视为其所辖区域的家长。然而中国庞大的国家机构所由支撑的道德的支柱即父家长制的权威，竟由此鸦片密输所招致的贿赂，所招致的官吏的腐败堕落——自然，官吏的腐败堕落，不自鸦片密输始，但我们却不能不承认鸦片演了莫大的促进作用——而渐形失坠。此后南部诸省的农民叛变，殆可说是由此造出了有力的条件。鸦片征服中国人的程度加深加大，皇帝及大官乃愈益丧失其支配权力。

事实上，英国既由鸦片战争而获有香港的割让权。

自是香港乃在英国支配之下，成为鸦片贸易的根据地。但当时的北京政府，依然禁止外国鸦片输入，从而，鸦片问题的发展，并不曾因鸦片战争而完全中绝。不过，我们在继续探究此种问题之前，顶好先阐明一下当时育成于旧中国社会内部，但曾由欧洲资本予以促进的那种内在的矛盾的暴发现象。

第四节　太平天国之乱——太平天国之成立及其发展的时代（一八五〇——一八六〇年）

清代在最初一个半世纪间，政治日形安定，至乾隆时代，已达于绝顶盛况，但清王朝崩坏的征候，亦于此时代开始显露。

在清朝统治下累积的官僚主义的封建社会之内部的诸矛盾，自十八世纪以来，已经开始暴露了。以贫农为主体而汇合着浮浪的知识分子，零落的小手工业者，小商人等，而结成的宗教的秘密结社，曾在中国各地孤立的分别的发生暴动与叛乱。由乾隆末年以迄嘉庆之世，以湖北为中心，而在河南四川各地，蠢起的白莲教徒的叛乱，以后且蔓延到陕西甘肃诸省：清代虽勉强将此叛乱镇定下来，但毕竟费了十余年的长期岁月。当时构成常备军之主体的八旗与绿营，已经颓败不堪，致政府不能不依赖佣募的“乡勇”。官兵既已显然不可依赖，于是各地乃相率成立自卫的“团练”。“团练”设有堡垒，拥有武器，结局，清室之中央集权，遂渐归分解。

降及十九世纪之初，中国南部海贼猖獗，历数年始予敉平。而内地则天理教徒的大动乱发生（一八一三年），西部天山南路的回教徒，又适于此时蹶起。此种变乱，直延至一八二八年始渐告一段落。

中国内部的这诸般分解事象，当然蒙受了欧洲资本压力的促进，欧洲资本不但输入了促成中国家内工业乃至小手工业崩溃的商品，且还连带输入了与专制主义绝不相容的“红毛”的意识形态。历来的专制主义，都是以人民的孤立与无知为基础，并且只有在这种基础上，专制主义始得维持。然而欧洲资本的活动，却不免要破坏这种基础。

至前世纪中叶，旧来中国社会末期的农民战争，已随当时发端于中国南部的太平天国之乱，而达于最高潮。太平天国之乱，正是旧中国社会内部诸矛盾的尖锐暴露，同时亦是庞大国家机构的颓坏与皇帝及其官僚装置之支配权完全失坠的告白。

关于太平天国之乱的诸条件及其经过的分析，我们决不能忽视欧美资本从中扮演的正面的反面的策动作用。

由太平天国之乱，而达到了最高潮的中国农民的秘密结社的叛变，自其发生的诸条件言，那是世界史的条件搅合于国内历史的条件而形成的，换言之，就是我们要以世界史的条件与中国历史的条件，为此种大规模农民叛乱所由造成的经纬。在清代上半期百余年间的政治安定的状况下，人口都在不绝的正规增加；因此国内渐渐形成的过剩人口，从全国最大部分的国民的物质生活条件看来，已经不堪旧来官僚的封建的社会关系。加之，以英国打头阵的欧美资本的到来；特别是由前述鸦片战争强开五大自由通商口岸，致欧美商船都相率航行中国，不久即使中国充满欧美低廉的机械制造商品以后，中国旧来基于家内工业乃至小手工业生产的工业，乃开始在机械竞争之前，倒溃下来。就在这当中，鸦片依然对于旧中国社会的经济，政治与德道，继续的更强烈的行着有害的破坏的作用。由是，大清帝国遭遇了社会的危机。国民全体陷于极贫困的状况。最有社会意义的太平天国之乱，终于在这种内外煎迫的情势下发动起来了。

此种叛乱，系于一八五〇年起于广西的山地，不久即扩大于全省，更波及到广东及贵州。叛徒的主体为贫农，而参加此种农民叛变运动的有失业的下层的职工，有小商人，而汇集于宗教的秘密结社的组织之下的流离的知识分子，则充当他们的指导。例如，其首魁洪秀全就是生于广东花县的一位寒士，因几次应试不第，终至化为不平不满的有识平民。他于一八三三年（时年二十岁许），就一位美国传教师，研究基督教教理。他虽接受那种教理，但不曾施受洗礼。在后，他与冯云山共同组织上帝会。信从者达数千人。此会初设于广西的山地。一八五〇年，洪秀全被推为首领。其所属会员皆依狂信而受有规律训练。洪秀全借基督教的三位一体之说，以所谓天父居第一位；以耶稣基督居第二位，称为天兄；

以自身居第三位，号为天弟。在太平天国运动的初期，他实在发挥了杰出的指导者的能力。

这一群带着复杂的狂热信念的叛徒，于一八五一年陷广西东部之永安城；次年，犯广西北部之桂林——广西的省城——更出湖南，攻陷多数都市，迫近湖南省会长沙。长沙虽未攻陷，但叛徒们却北向夺取洞庭湖畔之岳州；更以此为根据地，北犯湖北，顺扬子江而下，占领汉阳，以次，复于一八五三年占领湖北省会武昌。武昌占据后，太平天国军之势焰，益锐不可当。于是复以船舶沿江而下，屠占长江沿岸之九江，安庆芜湖诸大都市，入江苏省，终至攻陷南京。

太平天国既下南京，即以南京为天京，编成第一第二北伐军而向大清帝国的首都北京出发。自是席卷安徽省，杀安徽巡抚，入河南，侵及山东西部。更由河南进犯山西内地，陷汾河流域之平阳。复由此东转入直隶，迫近距天津二十英里的地点。然而他们到达那里，终为清军所击败，致不得不迫而南返了。

就当这个时候，残留在广东广西的太平天国余党，又与自然发生的农民暴动相结合，在各地发生叛乱。各地的都市，都因城内有贫穷的职工，小商人等相呼应，很容易为叛党所陷落。叛党的势力延及福建浙江，福建的厦门福州，浙江的宁波，都先后为其占领。一八五四年，上海附近之农民军跃起，不久即占据上海，且能保持上海的支配权力，达十七个月之久。咸丰二年（即一八五六年）太平天国军之一枝，侵入四川，直至同治二年（一八六三年）始为清军所克服。

太平天国之乱，无疑为一般人民，特别为农民不耐租税的诛求，不耐官吏及旗民之专恣侵夺，而发动的农民战争，然欧美人连同商品而输入的近代的意识的影响，必然在此历史条件之下，使那种战争带有反抗支配中国二百年之满族的民族战争的性质。例如，太平天国二年（即一八五二年）所发布的檄文，就曾极力激发此民族反抗意识，其文云："嗟尔有众，明听予言：予惟天下者，上帝之天下，非胡虏之天下；衣服为上帝之衣服，非胡虏之衣服；子女人民为上帝之子女人民，非胡虏之子女人民。慨自满洲肆虐，混乱中国，以六合之大，九州之众，一任其胡为，恬不为怪。而中国反低首下心为其婢仆，甚矣中国之无人也。……夫中国人民有中国人民之形象，今满洲悉削发为禽兽；中国有中国人之衣冠，今满洲别顶戴胡衣猴冠，而坏我先代之服冕，是使我中国人忘本也。……凡有水旱，毫不怜恤，坐视饿莩，流离暴露，有如草芥，是欲中国人之稀少也。满洲又纵贪官污吏，布满天下，剥民脂膏，士民皆哭泣于道路，是欲我中国人之贫困也。官以贿得，刑以钱免，富儿当权，豪杰绝望，是使我中国之英俊抑郁而死也。凡英雄之代天报仇，动辄诬以谋反大逆，夷其九族，是欲我中国英雄之志绝也。……今幸天道好还，中国永兴之兆；人心思治，胡虏必灭之征。三七之妖运告终，九五之真人已出。胡罪贯盈，皇天震怒，命我天王肃天威创建义旗，扫除妖孽，介安中国，恭行天罚。……予兴义兵，为上帝报瞒天之雠，为天国解下民之苦，务肃清胡氛，同享太平之乐。顺天者厚福，逆天者显戮，布告天下，咸使闻知！”

欧美资本对于当时那种备有农民战争兼民族战争两重性质的叛乱，在先是采取中立态度。不但如此，它其实且以在某种限度助长中国的内乱为有利益。而叛军方面，在先亦不表示排外。至太平天国运动发动后七年的一八五六年，清廷官吏曾闯入悬有英国旗帜的鸦片密输船，强行搜查，致引起英海军炮击广州事件，当时太平天国舰队之指挥者，且书函英国驻香港的商务官，申请作共同的军事行动。要之，太平天国运动，主要为农民性质的运动，其民族运动的性质，在本质上是对满清的，因为此后庚子之乱（打杀洋人的拳祸）的条件，在当时尚不成充分的产出。

关于经济的及社会的方面，太平天国曾提出了激烈的要求。即照他们的主张，天下之田，应归天下之人耕作。务期丰荒相通，相互赈恤，以共享天父主皇上帝之大福。即有田同耕，有饭同食，有衣同穿。在这种前提下，故对于土地田亩不许私有，金钱不许私藏，凡藏银在十两以上，藏金在一两以上，皆为非法。据癸丑三年（即西元一八五三年），颁行的“天朝田亩制度”，一切田地，依其土壤之肥硗分为九等，第一等之田一亩，相当于第九等之田三亩，男女十六岁以上，皆得受田，十五岁以下，则只能分受半额。假若一家六人，其中有三人受有好田，残下三人当领受丑田。以上是“天朝田亩制度”的大体轮廓。

太平天国运动由发生以至溃灭的十余年中，其全力皆集注在“扫除胡虏”的军事方面，奔流转战，对于根本的土地问题社会问题，本无何等实际的成就，然观前述的“有饭大家吃”的田亩制度，即可具体而微的显示他们的经济纲领，及一般农民大众的积极要求。

第五节　第二鸦片战争及太平天国之崩溃

太平天国之叛乱的发展，原以当时力求攫取中国市场之欧美资本的中立（乃至支持）为一有力的条件。太平天国党徒所具的基督新教的色彩，欧美资本早已感到非常的兴趣，并且非常满足的。而在处心积虑想使中国化为印度第二的英国，更于此大有所期待。然而此后天京（南京）政府的政策，逐渐使他们失望了，因为财富的共有均分，他们早视为过于激烈。加之，以分割略取中国为目的的英国资本的政策，与以支持旧政权而求门户开放为目的的美国资本的政策，又不能不发生交互牵制错综的作用。在这个时候，因内乱弄到疲敝不堪的清朝政权，渐渐不能不赖外国资本或外力以求镇定。同时，国内的商业，高利贷资本及富农，对于太平天国的过激政策，显然是采取对敌的态度。换言之，就是他们亦不能不要求依赖外国资本或外力，以图维持旧有的秩序。然而正当着这种情势下，第二鸦片战争发生了。

一、第二鸦片战争（一八五六——一八六〇年）

以英国为前驱的欧美资本，早经是不以中国南部的解放为满足的。然至一八五六年，又发生了前面已经讲过的英舰炮击广州事件。事件之起，原由清朝官吏临检一只揭有英国旗，且在香港政厅登记过的洋型中国船，因为这只船密输鸦片，故清廷官吏撤去其英国旗，并将其驾驶人员予以监视。当为英国当局虽多方设法挽救，都归失败。结局，英国对于这只密输鸦片的事体，置诸不问，单提出凌辱国旗的问题，激起国内舆论，对清宣战。法国亦与英取一致行动。一八五七年英法联军开始陷落广州；翌年，战争缘中国北部沿海岸进展，陷白河口之大沽炮垒，进迫天津，由是缔结《天津条约》。然不久，战争复又爆发，在一八五九年，英法联军与中国军队的战斗，系进行于中国北部沿海岸一带。最后，联军终侵入北京烧毁宫殿。于是乃订立《北京条约》。此次条约订结的结果，中国北部乃至中部的诸港，皆对外国贸易开放；英国的商船，且得行驶中国的内河。中国还支付巨额的赔偿金。此外，英国更要求中国割让香港对岸的九龙的一部分，要求改订关税；最后，从来在法律上概被禁止的鸦片贸易，至是亦予以公认。

二、太平天国的崩溃

太平天国运动发动后十年即一八六〇年，美国终于开始应中国商业高利贷资本及富农的要求，而从事毁灭太平天国的工作。美国所引为危惧的，是隐在太平天国背后活动的英国资本的露骨侵略政策。同时太平天国所取的过激政策，又日复一日的增强商业，高利贷资本及地主的反抗，致使他们不能不结托外国资本，以镇压叛徒。就在这当中，英法已由第二鸦片战争的结果，迫北京政府偿其预期的欲望；换言之，就是他们已丧失其对太平天国运动维持中立，甚或予以援助的理由。不仅此也，太平天国的发展，却宁会给予其既得权利以威胁。况太平天国军于一八六〇年攻入了英法要求划为局外中立地的上海。由是，英法的联军，乃与美国采取共同的行动。在内外军力夹攻之下，太平天国虽几经顽强抵抗，最后终于一八六四年（同治三年）失陷其首都天京，自是天国余党乃逐渐归于消灭。

在太平天国乱中，双方因战斗而死者，横受虐杀者以及因饥馑而丧亡者，恐不下二千万人。叛乱大体虽于一八六四年告一段落，但民穷财匮，政府不能收纳租税，清代的统治权力完全失坠。由是各地不绝发生骚扰，演为叛乱。在太平天国运动发展中，山东，安徽，河南等地已有所谓捻匪发生，迨天京陷落，太平天国的余党，遂与捻匪结合，在中国北部，骚扰至数年之久，而云南及中国西北部陕西甘肃等地，复有回教徒之动乱发生。

第六节　分割与加速半殖民地化的过程

北方的俄国自与中国订结《尼布楚条约》及《哈克图条约》以后，一八五八年，曾由《爱珲条约》获有阿穆尔河左岸全部的土地。一八七一年，又占领中国西部的伊犁地方。至一八八一年，于要索巨额赔款外，还使清朝割让伊犁地方西部，并承认俄国在新疆及蒙古开设领事馆，购买土地及开设商店的权利。

中国在其四周，原来是拥有许多定期进贡的藩属的。例如，琉球在一八七五年以前，是三年朝贡两回；朝鲜在一八九四年以前，是四年朝贡一回；尼泊尔由一七九〇年到一八八二年，是五年朝贡一回；缅甸在一八九五年以前，是十年朝贡一回；暹罗在一八八二年以前，是三年朝贡一回，此外，安南亦是四年朝贡一回的藩国。然而在一八六二年，法国要求割让安南南部的交趾支那，翌年更合并柬普寨。但法国的目的，在略取北部的东京——安南以东京为北部，以安南本部为中部，以交趾支那为南部——由是控制富良江（即红江）而窥伺云南，因为云南是早以埋藏有丰富的矿物资源见称的。一八八四年，法国由中法战争的结果，获得有东京的支配权。翌年，更依《天津条约》，使中国承认其对于安南的宗主权。

一八六二年，英国已合并缅甸的下部，及其窥见法国对于中国南部的野心，乃又于一八八六年由中国略取缅甸上部，以合并于印度。一八九四年，中国又对英国开放云南的腾越，由是英国乃得确保其由印度到云南的贸易通路。

日本原为一封建的封锁国家；自经一八六八年的政治变革后，乃以近代国民的国家，出现于世界舞台。一八九四年到一八九五年的日清战争，使日本得依《马关条约》攫去中国台湾彭湖诸属，朝鲜亦从此夷为日本的殖民地。特中日战争的结果，不限于此等直接丧失的权利；列强对于中国的态度，自是更进入一新的阶段，即外国资本在中国的权利竞争，由中日战争的结果，而展开了更形炽烈的场面。第一，帝俄为对付新兴的日本，在一八九六年与李鸿章缔结中俄同盟的密约，清国为答偿此种“好意”，许俄国以中俄铁路的敷设权。——由西到东贯通满洲里，哈尔滨，绥芬河间，长九百五十英里；由北到南，贯通哈尔滨大连，旅顺间，长六百四十六英里，合计一千五百九十六英里，于一九〇四年以前敷设成功。此外，同国还于一八九八年租借辽东半岛。在同一年度，德国亦借口强租胶州湾，并使北京政府提供以山东的铁道及矿山的权利。法国至是又租借中国南部的广州湾，并获有展筑河内——老开线至云南省会昆明的铁道敷设权。同年，英国更获有香港对岸九龙半岛全部的租借权，至由九龙到广州的铁路敷设权，亦于同时获得。而在中国北部方面，且获有威海卫的租借权。不仅此也，结连最大商业都市上海与旧都南京的铁道借款权，亦于同年为英国所攫得了。而在此前一年即一八九七年，以法俄为背景的比利斯财团，曾与清廷缔结了由北京到汉口的京汉铁路的借款契约——但此路全线系在一九〇五年开通。自前世纪末叶以来，列强还在中国获得有其他种种的铁道敷设权利。其中特关重要者，为由天津至浦口的津浦铁路的权利，此种权利系于一八〇九年由英国和德国所攫得——全线的开通，则在一九一三年。至先此在中国尚未攫取何等重大特权的美国，到了列强宰割中国最凶的一八九八年，亦与清廷缔结了由汉口到达广州的粤汉铁路借款契约。——不过，后来这种借款权利转到英国掌中了。

要之，世界在世纪转换期中，已进入帝国主义时代。而备有种种自然优越条件的中国，恰好是帝国主义或近代资本之炽烈贪欲的好饵。领土的割裂，矿山铁路利权的强夺，侵略根据地租界的设定，列强相互间之势力圈的分划等等，无在不是帝国主义政策活动的结果。而清代政权之经济的基础与封建的官僚主义组织，至是乃由此等帝国主义活动的侵逼与国内的不绝扰乱，而归于瓦解。

第七节　国民革命的进展

在上述清代政权崩溃或整个中国半殖民地化的过程中，国内新形成的市民阶级，终于发生近代国家运动，此种运动是以打倒旧来的军阀，官僚，土豪及买办，和反对帝国主义为目标。他们要求制定宪法，要求排除清代对于矿山，铁道等等重要资源的支配，此外，并极力反对对外借款。此种要求实现近代国家的国民运动，由日俄战争（一九〇四——五年）受到了莫大的鼓舞。结局，革命军竟于一九一一年发动于武昌，此后因得到各地响应，乃于其攻克的南京，建立共和政府。一九一二年一月，孙文就任共和国临时大总统。支配中国二百余年的清室统治终结，中华民国于以开始。

然而，清室的终结，并不就是旧来封建诸势力的全告终结，大总统孙文就任后不久，即迫于当前的情势，不得不将政权让渡于军阀官僚势力的代表者袁世凯。袁世凯树立绝对主义政府，迫害国民革命势力。后袁虽于民国五年（一九一六年）死去，但中国自是乃分散于有外国资本背景的诸军阀官僚，及结托于军阀官僚的地主，商业高利贷资本的代表者的手中，而不绝引起内乱。就在此带有极浓厚封建色彩的军阀们的相互分立混斗的当中，前此对中国国民运动居于指导地的国民党，乃得在中国南部扩大势力，树立政府。随着一九二六年（即民国十五年）北伐的军事政治活动而涨起的革命高潮，早已使中国的国民运动转化为一种特殊的新的姿态。然而帝国主义的势力，以及结托帝国主义的军阀，官僚，土豪及买办的势力的跳跃活动，致使气象万千的国民革命运动，不能不大大的受到挫折与打击。蹉跎至于今日，中国民众，依然还是在“革命尚未成功”的警语之前，苦受折磨；同时中国的国运，则更因帝国主义内在的矛盾的发露，或资本主义解体期中的最后的狂暴的挣扎，而呈现着更凄惨更黯淡的前景。

第八节　结论

旧来中国官僚主义的封建制，大体至清代已由绝对主义的组织，达到了相当完成之境。但自十八世纪以来，欧洲资本对于中国的侵略欲，已日复一日的趋于炽烈。资本主义最先进的英国，亦相应扮演着侵略中国的急先锋的角色。由强输鸦片所使用的无情大炮，对于深锁高围的绝对主义国家的壁垒，最初是轰开了若干大孔，以后则渐次迫其根本撤消了。绝对主义的组织，原是以孤立或以人民的孤陋寡闻的无知为基础；伴同欧洲乃至美洲的商品大炮而携来的近代的国民的意识，早已使清代绝对主义的统治，根本发生动摇。然而这“外铄”的破坏作用，毕竟只居于促进的助手地位。

在清代开国最初的百余年间，社会是颇为安定的；在此种安定的社会状态下，人口迅速增加，社会诸生产力全般增进，结局，旧来专制主义的封建社会关系，已经转化为其生产力的梏桎，就在这内部的社会矛盾开始显现的当中，欧美资本侵入了。欧美资本在中国这一定的历史条件之下，从几方面来促使旧来绝对主义政权的没落。第一，由欧美特别是欧洲资本主义国家输入的鸦片及其他商品，直接增大了满清官吏的奢侈欲与贪欲，他们从此益肆其贪污暴敛的伎俩，而使官僚主义机构本身受到致命打击。

第二，在官吏的横征暴敛之下，一般农民大众已陷于极度的困境，而一向为农民副业的家内工业，乃至半独立的或独立的手工业，又因欧美机械工业的竞争，而相次倒毙；前世纪中叶的太平天国之乱，以及继是而发生的捻匪之乱，都是中国农民乃至一般生产大众。在内外压力交攻下所激起的争求生存的奋斗。

第三，欧美资本侵入后，中国旧来的手工业，诚然会依其所受外来机械工业竞争的影响，而受到致命的打击，但在另一方面，却也曾在某种限度促进中国民族资本的发展；特别是在日清战争前后，中国的工厂工业（最要者如纺织工业），已经大有起色。民族工业的发展，即是市民势力的抬头，亦即官僚主义的封建组织所由转落的征兆。以辛亥革命为起点的中国国民革命运动，正是从这种事实上定下基础的。

然而，在外国资本凭借种种不平等条约而横行中国的情势之下，换言之，即中国已被夷为半殖民地的客观环境之下，中国企图实现近代国家的国民革命运动，乃不能不带有民族的反帝国主义的特质，就因此故，以前对中国国民革命运动发生过促进作用的外国资本势力，又复勾结并援助中国残存的封建势力，或者通过买办金融，与中国军阀地主高利贷苟合起来，对中国革命运动作执拗的防压。帝国主义愈因内在矛盾而陷于无以自拔的困境，中国这种被撤去了防卫的国家，就愈会受到侵略。这正是摆在我们当前的情形。

然幸而现代世界史已开始了新的篇章；我要透过目前极惨酷黯淡的光景，而期待中国社会的伟大前途！

三联经典文库第二辑简目

《游击战教程》　明凡 / 著

《游击战术纲要》　陶剑青 / 编著

《汪精卫卖国的理论与实践》　钱俊瑞 / 著

《抗战以来》　韬奋 / 著

《陕行纪实》　楚云 / 著

《随军散记》　沙汀 / 著

《被日寇囚系半载记》　王研石 / 著

《倭营历险记》　房沧浪等 / 著

《活跃的新西北》　田影 / 编著

《保卫华北的游击战》　刘清扬　陈北鸥等 / 著

《徐州突围》　《徐州突围》编委会 / 编

《沦亡的平津》　长江　小方等 / 著

《淞沪火线上》　胡兰畦等 / 著

《瞻回东战场》　长江　罗平等 / 著

《东线的撤退》　胡兰畦等 / 著

《抗战中的西北》　徐盈 / 著

《鲁闽风云》　徐盈等 / 著

《西线生活》　西北战地服务团集体创作

《中国解放区见闻》　［美］福尔曼著 / 朱进译

《全面抗战论》　潘汉年 / 著

《日本的间谍》　范士白自述 / 尊闻译

《日本大陆政策的真面目》　国难资料编辑社 / 编

《民众动员论》　李公朴 / 著

《中国外交史》　钱亦石 / 编著

《太平洋军事地理》　蒋震华 / 著

《世界经济地理讲话》　思慕 / 著

《列强军力论》　［德］马克斯 · 威纳尔著 / 宾符　仲持　梅益等译

《近代国际关系史》　张铁生 / 著

《太平洋现势手册》　沈志远　石啸冲 / 编著

《近代世界政治史》　钱亦石 / 著

《从战争到和平——一九四五年的世界政治》　乔木 / 著

《战后日本问题》　思慕 / 著

《最近一年间的国际动态（1946.7–1947.6)》　《东北日报》社 / 编

《论政党》　翟放 / 著

《法与宪法》　韩幽桐 / 编著

《中华民国宪法刍议》　罗家衡 / 著

《民主 · 宪法 · 人权——作之民》　费孝通 / 著

《宪法论初步》　潘念之 / 著

《对反民主的抗争》　韬奋 / 著

《农村改进的理论与实际》　江恒源 / 著

《上海产业与上海职工》（上下）　　朱邦兴　胡林阁　徐声 / 合编

《陶行知教育论文选辑》　　陶行知著 / 方与严编

《中国通货膨胀论》　　杨培新 / 著

《中国及其未完成的革命》　　H·普拉特著 / 蒋天佐译

《中国的建设问题与人的训练》　　卢作孚 / 著

《论中国特殊性及其他》　　艾思奇 / 著

《中国经济问题讲话》　　钱俊瑞　徐雪寒　王渔邨　姜君辰　骆耕漠 / 合著

《中国经济的道路》　　许涤新 / 著

《中国财政之病态及其批判》　　孙怀仁 / 著

《官僚资本论》　　许涤新 / 著

《五四运动之史的评价》　　陈端志 / 著

《中国通史简编》（上下）　　中国历史研究会　范文澜 / 主编

《论文学的工农兵方向——读〈在延安文艺座谈会上的讲话〉》　雪苇 / 著

《中国近代史（上编　第一分册）》　　武波 / 编著

《文学百题》　　傅东华 / 编

《中国史学之进化》　　周谷城 / 著

《论民族形式问题》　　胡风 / 著

《论批评》　　荃麟等 / 著

《中国史纲》（第一卷上下、第二卷上下）　　翦伯赞 / 著

《近代中国思想学说史》（1–4）　　侯外庐 / 著

《中国政治思想史》（上下）　　吕振羽 / 著

《中国哲学史纲要》　　向林冰 / 著

《中国政治史讲话》　　钱亦石 / 著

《中国社会经济史纲》　　王渔邨 / 著

《新财政学大纲》　　千家驹 / 著

《太平天国革命运动论文集——金田起义百周年纪念》

华北大学历史研究室 / 编

《理性与自由——文化思想批评论文集》　　胡绳 / 著

《战斗者的诗人》　　黄药眠 / 著

《国语文法》　　曹朴 / 著

《教育哲学》　　张栗原 / 著

《妇女问题讲话》　　杜君慧 / 著

《婚姻 · 子女 · 继承》　　沙千里 / 著

《性教育新论》　　布士克　雅各生合著 / 董秋斯译

《狱中杂感》　　杜重远 / 著

《七人之狱》　　沙千里 / 著

《爱迪生传》　　伍况甫 / 译

《歌德自传》（上下）　　歌德著 / 思慕译

《尼赫鲁自传》　　［印度］尼赫鲁著 / 毕来译

《列宁传》　　［苏］凯尔任采夫著 / 企程　朔望译

《罗斯福总统传》　　C. Mackenzie 著 / 张尚之译

《托尔斯泰传》（1–3）　　［英］阿尔麦 · 莫德著 / 徐迟译

《革命文豪高尔基》　［美］亚历山大·康恩著/韬奋编译

《鲁迅纪念特辑》　新中国文艺社/编

《回忆鲁迅先生》　萧红/著

《人民文豪鲁迅》　平心/著

《亡友鲁迅印象记》　许寿裳/著

《鲁迅思想研究》　何干之/著

《鲁迅研究》　夏征农/编

《过来的时代：鲁迅论及其他》　雪峰/著

《电影戏剧表演术》　洪深/著

《日常心理漫谈》　［美］约瑟夫·查斯特罗著/曾宝菡译

《心理常识漫话》　朱智贤　杨云美/著

《读书的方法与经验》　王任叔/著

《美国黑人生活纪实》　［美］加德维尔　斯坦倍克著/董秋斯译

《初访美国》　费孝通/著

《事业与成功》　［美］马尔腾著/汪原放译

《萍踪寄语（初集）》　韬奋/著

《一生的幸福前途——〈生活周刊〉信箱选集》　生活书店/编选

《深刻的印象》　生活周刊社/编

《海外的感受》　生活书店编译所/编